Weekly Mail

上巻

藤田宗久

東京図書出版

はじめに

２００５年４月から２０１５年３月までの10年間、私は建設会社の土木部門の設計部長を務めました。設計部という名前の通り、事務系の数名の部員以外は全て土木構造物の設計業務に携わる技術者集団でした。私は、部署のパフォーマンスを向上させるためには部員のモチベーション（やる気）を高めることが最も重要であると考えて、それにつながる施策を順次実施していきました。まずは、「一人ひとりがProfessional」という設計部ビジョンを制定することがスタートとなり、その後、プロ認定制度の実施、専門分野の名刺表示、設計技術講座の開講、社外委員会活動の推進などを実施したわけですが、Weekly Mailの配信というのもその施策の中の一つでした。

Weekly Mailは、２００６年10月から２０１５年３月の８年半の期間に、正月休み、ゴールデンウィーク、盆休みを除いて、一度の休みもなく毎週初日の朝に配信したもので、その数は４１７通になりました。配信するきっかけについては、下巻の最後に掲載している「退任にあたって」と「（付録）私の本棚」で紹介していますので、そちらを読んでいただきたいと思います。Weekly Mailの内容は、その時あった出来事について私が感じたこと、私が興味を持っていることなど種々雑多ですが、部員が少しでも視野を拡げ、自分で幅広いことを考えるプロの技術者になって、設計部ビジョンを達成する一翼を担って欲しいとの思いを込めて執筆しました。また、自部署のみならず、希望される他部署の方々にも配信していましたので、最も多い時期の配信先は２００名程度になりました。さらに、Weekly Mailを転送している方もいらっしゃいましたので、受信者数はもっと多かったと思いますが、そのようなことも配慮して、社内の機密事項を内容に含めることはありませんでした。

読み返してみると、その内容には設計技術者に限らず、一般の方々にも興味があると思われるトピックも多く含まれていることがわかりました。そこで、このたび、Weekly Mailの中から、社内に特化したものや他者の文章をほとんど引用したものを除き、また、重複した内容のものを整理し、２９１通に絞り込んで、上下二巻の書籍として上梓することとしました。

Weekly Mailは、「設計部の皆様へ」という書き出しで、何も表題をつけずに配信していました。表題をつけなかった理由は、部員に「今日は何が書いてあるのだろう」というちょっとしたドキドキ感を味わってもらおうという狙いでした。このたび書籍にするにあたっては、各Mailに表題をつけ、また似通った内容ごとに15の章に分類することにしました。読み方は読者にお任せしますが、各章ごとに読むと同じような内容の繰り返しと感じるところがあるかもしれません。その辺はご容赦願います。実際に配信した時は、このような項目の分類などはなくて、ランダムに配信していたので、私が重要だと思っていた内容を時々繰り返す必要があったために、このような内容の重複が現れました。文章には若干の修正を加えましたが、配信当時の状況や思いをそのまま伝えるために、なるべく原文のままとするように配慮しました。

建設会社の設計部長が部員に配信し続けたWeekly Mailが、読者の方々の興味を刺激し、モチベーションアップの一助になれば、著者の望外の幸せです。

令和3年3月吉日

藤田宗久

Weekly Mail　上巻◇目次

（上巻）

（下巻）

1

ビジョン

ＪＲ北海道の経営ビジョン

先週、ＪＲ北海道へ行ってきました。ＪＲ北海道は札幌駅南口開発事業に成功したと言われているので、主として事業拡大に関するヒアリングをし、当社の事業戦略の参考にしようというのが目的です。ヒアリング相手は、経営企画部長の野島さん（その後ＪＲ北海道社長）で、元々土木出身ですが、国鉄が民営化されてからは、財務・企画畑を歩いてきた人で、ＪＲ北海道の経営戦略のキーパーソンです。そのヒアリングで私が感じたことを紹介します。

ＪＲ北海道では、平成13年に、役員全員（約15名）をホテルに缶詰めにして、今後の経営ビジョンについて議論し、経営方針を定めたそうです。その議論の中で、最も重要だった点は、それまでは自分たちの観点に立って経営ビジョンを定めていたことを反省し、「お客様が主役」という観点に立った事業活動をすることを役員が共通に認識したことだといいます。その結果、平成14年に、スクラムチャレンジ２００６という経営ビジョンが定められました。そこでは、ＪＲ北海道グループを、「旅とくらしのサポート事業グループ」と位置づけて、主役はあくまでもお客様であり、自分たちはお客様をサポートする役割であることを明確にしています。そして、経営ビジョンの第一に「お客様の『安心』『満足』『感動』の実現」を掲げています。

以前本で読んだのですが、松下でもホンダでも初めは、どうやって儲けようかということばかりに汲々としていたそうですが、ある時期から社会への貢献などにも目を向けるようになっていき、今日の一流企業としての地位を確保したということです。

受注や利益の話だけが上から伝達されるような企業では、決して一流企業とは言えません。我が社は、世の中から何を求められている会社なのか、私達の部には、そして、自分自身には何が求められていて、それに対して自分達は何ができるのか、何をやらなければならないのかをしっかり見据えて業務を遂行していきたいと思います。

設計部ビジョン（その1）

設計部ビジョン2005がスタートして2年が経ちました。「一人ひとりがProfessional」というビジョンは、私達の部のような技術者集団にとっては普遍的なビジョンであると考えられます。つまり、どのような部門・部署に属していても、自分の専門性を発揮できる仕事に携わる限りは、目指す方向は同じであると考えられるからです。

このビジョンは、個人のポジティブな気持ちを引き出すことをねらいとしていて、個人がより活性化することにより、グループにも部署にも活性化のポジティブ連鎖が広がっていくことを期待しています。このビジョン達成のためのアクションとして、自分自身の専門分野を定めて、表示することを実施していますが、このような方策は、一人ひとりの心構えに変化をもたらす手助けをしているだけであり、重要なことは、自分自身の気持ちの持ち方であることは言うまでもありません。

「担当グループだから対応する」とか、「言われたからやる」という気持ちでは心の底から出てくるやる気は生まれません。同じ仕事をする場合でも、「自分たちの技術力を必要としている人がいるから、それに応えたい」、「自分たちの技術力を遺憾なく発揮したい」、「自分たちを信頼してくれる人に応えたい」という気持ちになれば、パフォーマンスが向上するのは明らかなのです。

次に大事なことは、自分たちの技術力は、競合他社と比べて勝っているのかどうかを客観的に知ることだと思います。自分の専門分野の技術力は、他社と比べてどこが優れているのか、劣っているのか、日本一なのか、世界一なのか、何をすれば日本一になれるのか、世界一になれるのか。これらの問いに客観的に答えられることもプロフェッショナルの要件だと思います。

設計部ビジョンは、一人ひとりが活性化するための道標を示したものであり、一つの改革であります。改革にあたっては必ず抵抗勢力（要素）が存在します。改革を効率的に推進するために、改革を阻害する要素を徐々に取り除いていくことも併せて実施していこうと思います。

「自分がプロフェッショナルになる」ことや「私達の部が活性化する」ことを阻害する要素は何なのか、私自身はこの2年間でほぼ見えてきたように思います。皆さんにも、思い当たることがいくつかあると思います。時々、こんな議論もしていきたいと考えています。

ヴァリュー

ビジョンの話は何回かしました。繰り返しになりますが、私達の部のビジョンは「一人ひとりがProfessional」です。それでは、我が社のビジョンはというと、私は、「安心を世界へ提供するプロ集団」になりたいと考えています。これは、昨年度、私が社内のグループで討議して辿り着いた結論です。それを実現するためのアクションプランを身近なところから実施していきたいと思います。

さて、ビジョンとともに重要なのはヴァリュー（価値観）と言われています。ＶＭ（Value Management）という言葉を聞いたことがあるかもしれません。価値観を浸透させるということです。企業活動のベクトルを合わせて、強い力を生み出すという点で重要な道標となるものです。今週はそのヴァリューの話です。

ＴＤＬ（東京ディズニーランド）のＶＭは、①安全、②礼儀、③ショー、④効率、だそうです。なんとなくわかる感じですね。こういう価値観にしたがって、運営し、従業員を教育し、イベントプログラムを作成しているということです。次に、DELL ComputerのＶＭは、というと、①ＣＳ（Customer's Satisfaction）、②利益、③売り上げ、だそうです。ご存じの通り、DELLは、在庫なし・直販モデルといった徹底的な効率経営を行い、DELL direct modelを作り上げました。また、WindowsやIntelの技術を土台にしているので、研究開発費が圧倒的に少ないのです。２００１年にはパソコン売り上げ台数が世界1位になり、２００５年には*FORTUNE*誌の「最も賞賛される企業第1位」に選ばれました。そのDELLの営業利益率が２００５年度の８・７％から、２００６年度は４・３％に低下しました。そして、ＣＳも下がってきて、とうとうApple社に抜かれました。ＶＭの1位に挙げたＣＳが揺らいでいるということです。利益・売り上げを伸ばすために、効率重視の方策をとり、たとえば、コールセンターの外注化や録音テープによる対応などをしてきたことで、問題が起こってきているということのようです。言い方を換えれば、ＶＭがうまくいっていないのが、現在のDELLの課題です。

翻って、我が社のヴァリューは何でしょうか？　どのようなヴァリューに、どのような優先順位をつけて、企業活動を進めていくべきでしょうか？　以前のWeekly Mailで、顧客の満足・企業の収益・構造物（提出物）の品質・社会への貢献・技術者倫理というキーワードを並べました。中身は変わりませんが、私は最近、初めに書いたビジョンを踏まえて、①品質、②安心、③プロフェッショナル、④収益力、というヴァリューかなと考えています。「安心」には「顧客の満足」と「社会への貢献」が、「プロフェッショナル」には「技術者倫理」が含まれています。ちょっとした言葉の違いでも、インパクトには差が出ます。言葉の持つ力には大きいものがあります。皆さんが、我が社のヴァリューを挙げるとすれば、どのようになりますか？

浦和レッズ

我が社のミッション（使命）は「人々が安全に安心して生活や事業活動ができる環境を提供すること」であり、それを実現するためのビジョンは「安心を世界に提供するプロ集団になること」、部のビジョンは「一人ひとりがProfessionalとして活躍すること」である（と私は考えている）、という話は何度も言いました。これを実現するためには、我々が活躍できる仕事が必要なので、対応能力に応じた受注目標を設定するし、企業としての健全経営のために必要な利益目標も設定します。こういうことを時々発信しておかないと、受注や利益の目標や実績の話だけが伝わってきて、目的であるミッションやビジョンを忘れがちになるので、注意が必要です。「国内受注額1位を目指す」という目標が、あたかも目的のようになると、自分のやるべきことを見失います。これも何度も言っていますが、我々は各々の専門分野においてプロフェッショナルとして高い技術力を持ち、他から認められる状態になり、価値の高い商品を生み出すことによって、ミッションやビジョンの達成に向かって進んでいるのであって、受注や利益の目標達成のため進んでいるのではありません。目標がどのように設定されようと、我々のミッションやビジョンは普遍的なものなので、やるべきことは変わりません。

このような内容に関連して、今回は、浦和レッズの藤口光紀社長の話を紹介します。かつてはJ2に降格した浦和レッズですが、2007年はAFCチャンピオンズリーグを制して、アジア王者に輝くなど今や日本を代表するチームになったと言えるでしょう。チームの好調さに比例して、営業収入が毎年約10億円ずつ増加して、２００７年度は約80億円でＪリーグ31クラブ中ダントツの数字だったそうです。藤口社長は、「ミッションの裏づけのない数値目標は、何の意味もない！」と断言し、次のように説明しています。

『経営者の私がこんなことを言うのもなんですが、数値目標に特別なこだわりはないんです。数字は、あくまでも結果。最近、「営業収入が１００億円を突破するのはいつか？」と質問される機会が増えてきましたが、１００億円を目指してクラブを運営しているわけではないので、数字だけに注目されるのは、少し違和感があります。目標の前にまず目的があって、目的の前にミッションがある。数値目標は、ミッションを実現するための施策を積み重ねるとどうなるかという目安に過ぎません。私たちで言えば、まずＪリーグ百年構想や、「社会の一員として青少年の健全な発育に寄与する」「地域社会に健全なレクリエーションの場を提供する」「浦和から世界に向けて開かれた窓となる」というレッズの三つの活動理念が最初にあって、それらを実現するための施策が決まり、最後に具体的な数値目標へと落とし込まれていく。まず数値目標を定めてから施策を決める会社があるかもしれませんが、それとは逆のアプローチです。ミッションや理念に支えられていない目標は、モチベーションが低下して、かえって達成が難しくなるんじゃないかな。壁にぶつかったとき、「何のためにやっているのか」という部分がないと、乗り越える気力が湧いてこないし、もし順調でも、ふと振り返ったときに空しくなりそうな気がします。また、ミッションの裏づけがないと、目先の数値目標に振り回される恐れがあります。たとえば、1試合の来場者数1万人と目標を定めたが、ある試合で5千人しか入らなかったとしましょう。とにかく目標達成ありきの場合、辻褄を合わせるために、次の試合は招待券でも配って強引に1万5千人を集めようとします。しかし、小手先の対策が長続きするわけがない。むしろ、問題を先送りすることによる弊害の方が大きいはずです。』

社長あいさつ

4月1日には入社式が行われ、233名の新入社員を迎えました。入社式での社長挨拶がイントラに掲載されていたので読んでみました。まだ読んでいない方は是非読んでみてください。挨拶の中で社長は新入社員に、①「志を高く持ち、常にチャレンジする」、②「コミュニケーションの大切さ」、③「当社の価値観」の3点について話されています。

①については、一人ひとりが高い志を持って、その実現に向けて努力していれば、時代の変化にも対応できるという話で、ビジョンを持つ大切さを強調されています。

②で言うコミュニケーションとは、プロ同士の真剣な議論のことであり、このお話の中で、社長は、12回もプロ（プロフェッショナル）という言葉を使っています。そして、「努力を積み重ねて、早く真のプロフェッショナルになってもらうことを期待しています」と結んでいま

す。

③は、「論語と算盤」の話です。

さて、社長が入社式で新入社員に語ったこの話ですが、どこかで聞いたような話だとは思いませんか？　もう気づいている方もいると思いますが、「設計部ビジョン」と同じなのです。設計部では、4年前に「一人ひとりがProfessional」というビジョンを定めました。仕事の仕組みや環境がどんなに変わろうとも、土木技術者・設計技術者の仕事がある限りは、このビジョンは普遍的なものです。社長の「社会の変化を超えて」という言葉は、高いビジョンの普遍性を表現されたのだろうと思います。また、社内外から認められる真のプロフェッショナルとなるために、一人ひとりが自分の専門分野において、日々精進を続けていくことが重要です。

ヴィジョンを語る

6月24日に参議院選挙が公示されました。日本の政治に関し、司馬遼太郎は次のように指摘しています。「私だけではなく、国民の多くがそうだろうと思いますが、日本の政界を見ていると、望みを失いそうになる。結局、党内人事を上手くやっていく人に権力が集中していく。ヴィジョンではなく、人事だけがある。ヴィジョンを持つ政治家の多くは敗れ、ヴィジョンを捨てて人事に専念する政治感覚が、勝利を制する。」（司馬遼太郎対談集『日本人を考える』文春文庫、1978年）日本の政界ではヴィジョンを持つ者は受け入れてもらえないという慣習が、ヴィジョンを語らない政治家を生んでいるのだとすれば、そこに住む国民は不幸と言わざるを得ません。

日本でヴィジョンを持った政治家が育たないのは、長い歴史の中で育成された日本人の「人間らしい」とされる生き方にあるのではないかという指摘があります。憲法学者の樋口陽一氏が書いている日本人の生き方が、日本の政治にも反映されているように思えます。「今の日本社会にとってもっと身近な言い方をすれば、こと挙げをせず、まわりと溶け合って、持ちつ持たれつ、やっていく日常の方が、自分自身のものの考えや信条にこだわって生きるより人間らしい、と考える人のほうが、多いのではないか」（樋口陽一『憲法と国家』岩波新書、1999年）

日本の政治を見ていると、政治が国民の願いを受け止めそれを実現する努力や、国民の様々な現実的な要求に合わせ社会を改善する機能を果たしていないように見えますし、国民と政治が乖離していると思えてなりません。

さて、日本の政治について述べましたが、会社の経営についても同じことが言えます。「政治家」を「経営者」や「幹部」と読み替えて、前記の司馬遼太郎の文章をもう一度読んで、自分の身の回りを眺めてみると、思い当たることがあるのではないでしょうか？　世の中のためや国民（社員）のためを考えるには、政治家（経営者）はヴィジョンを語らなければなりません。自分達を取り巻く環境がどうであれ、我々設計部員は『一人ひとりがProfessional』として活躍するという普遍的なヴィジョンに向かって進んでいきたいと思います。

建設業の使命は、「人々が安全に安心して生活や事業活動ができる環境を提供すること」であると何回も説明していますが、ある本で、『デンマーク人が選挙の際に政治家を判断する基準は、国民が安心して生活できる環境を作り出すための政策が実行できるかどうかである』ということを知り、政治も建設業も同じじゃないかと思いました。デンマークは税金は高いのですが、教育や医療福祉は国が全面的に支援し、国民の大多数はデンマークに住み続けたいと願っています。

現在の停滞した状況をbreak throughし、もう一段階上のレベルへstep upするためには、この国をどのような国にしたいのか、この会社を、この部門を、この部をどのような組織にしたいのかを明確に語れて、そのヴィジョンに向かって具体的に行動できる人が求められていると思います。

夢を持つ

個人が自立していないと、人は群れるようになり、馴れ合ったグループが生まれます。会社で言うと、上職者に気に入られるとか、自部門や自社の人とだけ仲良くするような行動をとるようになり、イエスマンが増殖していきます。このような状態になると、企業の成長は止まるどころか、衰退に向かうことになるでしょう。ではどう打開したら良いのかについて、ウェザーニューズ社石橋博良さんの話を紹介しましょう。

『自立するにはどうしたらいいか。それは「夢」を持つことだと思います。それが自分の夢であってもいいし、他の人と共有している夢でもいい。夢があれば常に新しい課題があり、新しい宿題が生じます。夢を叶えることを邪魔する人間に対しては抵抗し、一緒に夢を叶えてくれる人とは仲間になる。そこには打算的な人間関係とは全く異なる協力関係が生まれます。

よく私が言う言葉に「Do the right things.」というのがあります。これは「本来やりたいことをやれ」という意味です。馴れ合っている組織は、これが「Do the things right.」になっている。つまり、「やり方を間違えるな」ということです。目的と方法が入れ替わっているのです。目的はどうでもいいが、やり方だけは間違うな、という組織はよどみます。「やり方」を知っている地位の人間が力を持ち、序列が物を言う組織になるからです。

我が社では、地位ではなく貢献度を重視しています。個人や特定の部門に対してではなく、会社の持つ「大きな夢」に対しての貢献度です。「点を入れよう」とか「勝とう」という意識もなく、ただ、グラウンドに集まってダラダラしているのが「馴れ合いの状態」。夢がないと人は地位に固執します。地位ではなくやりたいことに目が向けば、それを実現するためにやらなければならないことに全力集中するでしょう。』

ウェザーニューズ社では、馴れ合い防止のために、上司と部下という関係を排除した組織のフレームワークを取り入れています。その結果、上職者に気に入られるということに何のメリットもなくなり、社員が自分の利益のために群れることもなくなったそうです。

さて、自立するには「夢」を持つことだという話です。設計部長としての私の夢は、「部員一人ひとりがプロフェッショナルとして、社外の様々な場面で活躍していること」であり、部員の皆さんと一緒になってこの夢を叶えるために、『設計部ビジョン２００５』を制定したわけです。したがって、プロフェッショナルとしての社外での活躍度合いを考慮して部員の皆さんのパフォーマンスを評価しています。この点は認識しておいて欲しいと思います。

設計部では、自分の専門分野のプロフェッショナルを目指すために「プロ認定制度」を導入し、部員の自己啓発を後押ししています。部員の皆さんには、設計部ビジョンを共通の「夢」として、社外で幅広く活躍して欲しいと願っています。「社外で活躍する」と言っても、きっかけをつかむことは簡単ではありません。どのように社外で活動したら良いかについて、不明点や希望などがあれば、気軽に相談して下さい。

設計部ビジョン（その2）

設計部では8年前に「一人ひとりがProfessional」というビジョンを策定しました。繰り返しになりますが、今日はその趣旨について話します。ビジョンは掲げるだけでは意味がないし、放っておくと、「自分には関係ない」と思ったり、忘れてしまったりするので、時々説明する必要があります。また、ビジョンを遂行するにあたって重要なことは、一人ひとりが「自分自身のビジョンである」と認識することと、リーダーがそのビジョンに向けた具体的な方策を実施することです。

私がこのビジョンの先に思い描いているゴールは、皆さん一人ひとりが、プロフェッショナルとして社外のキーパーソンから認められ、専門分野をリードして活躍している姿です。私が若い頃の話ですが、一緒に仕事をしていた技術研究所（技研）の先輩が講習会の講師をしている姿を見ると、頼もしかったですね。また、社外の方々から「Aさんにはお世話になっています」「Aさんと一緒に委員会をやっています」という話を聞くと、その分野ではAさんがプロフェッショナルと認知されていることがわかり、嬉しく思います。そのような先輩や同僚の活躍ぶりを見ると、自分もそうなりたいという目標のようなものができ、やる気も湧いてきます。反対に、専門分野といったものを持っていない、社外で専門分野に関する活動をしていない、社外の方々に名前が殆ど知られていないという人には、あまり魅力を感じないのではないでしょうか？　特に、土木技術本部のラインの管理職が、社外で名が売れていないようでは担当する組織の士気を高めることができません。

ビジョンに向けた具体的な方策として、設計部では7年前からプロ認定制度を始めています。30歳以上の部員に自分の専門分野を決めてもらい、まず職場の行き先表示板と名刺に専門分野を明示しています。次に、自分の専門分野のキーパーソンが力を入れている委員会に参加し、専門分野に関する知識を習得するとともに人脈を拡げ、一目置かれる存在になることに努めます。日常的には、専門分野に関する情報収集・勉強は欠かせないし、できれば論文発表などの情報発信もして欲しいと思っています。目指すところは、その分野の専門家から見てプロフェッショナルとして認められ、社外で活躍している状態です。周りの皆がそのように活躍している状態になると、自分自身の刺激になって、技術の研鑽や日常業務においても意欲が湧いてくるのは間違いありません。社外からの情報は自然に入るようになるし、いざという時にサポートしてくれる社外の専門家には困りません。

ビジョンに向けた第一歩は、自分の専門分野を定めることです。少し広い分野でもいいし、狭いテーマでも構いません。また、特定の構造物でもいいですね。狭いテーマなら、「コンクリートのかぶり」、「鉄筋の継ぎ手」などもあります。「設計部ビジョンだから、設計部を離れたら関係ない」と考えるのは間違いです。これは自分自身のビジョンなのです。たとえば、「かぶり」は現場へ行っても関係することが多いですね。かぶりの定義から始まって、国内外の基準類の規定、必要なかぶり厚さに影響を与える要因、耐久性とひび割れ発生を考慮した最適かぶり厚さの設定法等々、やる気さえあれば、次から次へと勉強する項目は広がっていきます。かぶりに関する情報量や知識では誰にも負けないという状態を維持するために日々勉強し続けるというのが、技術者の姿だと思います。自分の興味のある専門分野を決めて、とことん勉強して、世の中の誰よりもレベルの高い技術者を目指して精進して欲しいと思います。

設計部ビジョンを各自が理解し、同じベクトルを持って努力することが、自然に我が社の土木部門が強い技術者集団になっていくことへつながっていることを認識していただきたいと思います。

Mission Value Vision

受注額をもって「土木業界で何番だ」という話を、それがあたかも正しい指標と信じて言う人がいますが、適正な受注額は技術者数などによって違ってくる値ですから、それで順位を競っても意味がないことは明らかです。我々は、持てる技術者と技術力を商品として経営している会社ですから、その技術力を発揮するために適当な量の仕事を受注する必要があります。それが受注目標であって、多ければ良いというものではありません。

最近技術者が不足していることを感じます。その問題を解消するためには、技術者を増やすか仕事を減らすかしかありません。技術者を増やす方策には、仕事をアウトソーシングして外部の技術者を活用すること、キャリア採用すること、新卒採用数を増やすことが挙げられます。仕事を減らすという意味は、必ずしも受注額を減らすことには繋がりません。少人数で大きな消化ができるような効率的な仕事を選択受注することができれば、技術者数に余裕が生まれます。海外案件は国内案件に比べればかなり少人数の日本人で対応しています。このような海外のDesign-buildのマネジメントは国内でも活用できると思います。一方、小規模な工事でも設計や施工にそれなりの技術者が必要になるので、このような非効率な案件への対応は減らすというような方針も必要ではないかと思います。

「案件の選択」には我々の価値観（value）が必要です。まず、建設業を営んでいる我が社の使命（mission）は「人々が安全に安心して生活や事業活動ができる環境を提供すること」であることを肝に銘ずることが重要です。たとえば、海外の原発プロジェクトに参画するという意思決定をするためには、その国の市民が原発に対して「安全であると納得している」「政府の説明や事故時の安全対策などから判断して安心感を持っている」という状況であることが必要です。市民の原発反対運動が収まらない中で、政府が原発建設を強行しようとしている国では、人々に安心を与えることができないので、我が社はそのような案件に加担してはいけないと思います。前記の使命感が明確であれば、周辺住民や世の中の人々に不安を与えるような施設の建設には参加することはありません。

私達の部では、新年度は、「国土の強靭化」「エネルギーの安定供給」に関係する案件に積極的に取り組みます。それ以外の案件に対しては優先順位を落とすことにします。これが私達の部の価値観です。たとえば、ある太陽光発電プロジェクトで、出資者は固定価格買い取り制度を狙って、利益を上げることだけ考えているということが明らかならば、上記の価値観とずれるので、そのような案件には対応しません。人的資源は限られていますから、営業から依頼された案件の全てに対応することはできません。ではどのように案件を選別していくのか？　その時に前記の価値観を指標として選別することにします。案件依頼があった際には、「この案件は国土の強靭化あるいはエネルギーの安定供給に不可欠なものなのか、発注者はそのような意識で取り組んでいるのか」ということをよく吟味して、対応に優先順位をつけていただきたいと思います。

我が社が真の一流企業にステップアップするためには、自分達に課せられた使命（mission）、意思決定の道標となる価値観（value）、そして達成すべきゴール（vision）を明確にして、従業員一人ひとりがそれを実行することが不可欠です。

当社の使命

先週、社内のある会合で社長の話を聞く機会がありましたので、その時のお話の要点を紹介します。

社長は、「最近、私から『利益を最優先に』というメッセージが発信されているように感じている人がいるかもしれませんが、私の真意は決してそうではありません」と前置きされて、次のような話をされました。

「先週、ザンビアへ行ってきました。ザンベジ川に橋を懸けるプロジェクトが始まろうとしており、その視察でした。アフリカ大陸の物流を改善するためには南北縦貫道路の建設が必要であることは以前から言われていることですが、ザンベジ川という大河を越えることが一つの課題となっています。現状では、トレーラー1台しか積めないフェリーが唯一の交通手段であり、川を渡るために2週間くらい待たされることもあるようです。このような地点に橋を懸けることは、アフリカの人々の生活環境の改善に大きく貢献する事業です。国際社会に貢献するこうした仕事に携わることも当社の使命なのです。決して、利益を上げることだけを考えている会社ではありません。」

我が社は民間会社ですから、仕事を通じて利益を上げることは当たり前のことです。この「利益を上げること」は、我々の日常業務の前提条件のような事項ですから、取り立てて言うことに違和感がありますし、決して目的にはなり得ません。我々の使命は「人々が安全に安心して生活や事業活動ができる環境を提供すること」ですが、社長の言葉は、正にこのことを表現されているのだなと思いました。金儲けのことだけ考えている企業あるいは個人は、決して一流にはなれませんが、使命を正しく捉えて、自分達の進むべきビジョンを描ける企業は真の一流企業にステップアップすることができます。紹介した社長の言葉から、我が社にも真の一流企業になれる可能性があることを感じました。社長は、話の最後に「皆さんと共に、楽しく明るく仕事をしましょう」と締めくくられました。『明るく元気で』ではなくて、『楽しく明るく』と表現されたところがいいですね。一生懸命働いている人に「頑張ろう」とか「元気を出そう」などと言ったら、かえってモチベーションが下がることは、以前のWeekly Mailでも話しました。この社長の言葉は、『楽しくなければ仕事ではない』という私達の部のモットーと相通ずるものがあります。

夢を語る

今から51年前、１９６３年8月28日にワシントンでキング牧師が黒人解放、人種差別撤廃を訴えた“I have a dream”という17分間の演説は、アメリカではケネディ大統領の就任演説とともに、20世紀最高の演説として知られています。演説当時34歳だったMartin Luther King, Jr.は翌年ノーベル平和賞を受賞しています。その演説の山場の部分を抜粋して紹介しましょう。

“I say to you today, my friends, so even though we face the difficulties of today and tomorrow, I still have a dream. It is a dream deeply rooted in the American dream. I have a dream that one day this nation will rise up and live out the true meaning of its creed: ‘We hold these truths to be self-evident: that all men are created equal.’ I have a dream that one day on the red hills of Georgia, the sons of former slaves and the sons of former slave owners will be able to sit down together at the table of brotherhood. I have a dream that one day even the state of Mississippi, a state sweltering with the heat of injustice, sweltering with the heat of oppression, will be transformed into an oasis of freedom and justice. I have a dream that my four little children will one day live in a nation where they will not be judged by the color of their skin but by the content of their character. I have a dream today.”

大体の意味は分かったと思いますが、念のために邦訳を付けておきましょう。

「わが友よ、今日私は皆さんに言っておきたい。われわれは今日も明日も困難に直面しているが、それでもなお私には夢があると。それはアメリカン・ドリームに深く根ざした夢なのです。私には夢がある、つまりいつの日か、この国が立ち上がり、『我々はすべての人々は平等に作られている事を、自明の真理と信じる』（アメリカ独立宣言）というこの国の信条を真の意味で実現させることだ。私には夢がある。いつの日かジョージアの赤土の丘の上で、かつての奴隷の子孫たちとかつての奴隷所有者の子孫が同胞として同じテーブルにつくことができるという夢です。私には夢がある。今、差別と抑圧の炎熱に焼かれるミシシッピー州でさえ、自由と正義のオアシスに生まれ変われる日が来るという夢です。私には夢がある。私の四人の幼い子ども達が、いつの日か肌の色ではなく人格そのものによって評価される国に住めるようになるという夢です。今日、私には夢がある！」

皆さんは、最近、自分のやりたいことや夢について熱く語ったことはありますか？　キング牧師の壮大な夢とはとても比較にならないかもしれませんが、仕事の中でも同僚たちと夢、ビジョン、目標などを熱く語ることもたまには必要なのではないでしょうか？

私自身は、時々周りの人々に夢を語ることがあります。私の夢は、人々が合理的な意思決定をできる世の中を実現することです。その第一段階として、構造設計技術者が保有している情報と確率論を利用して合理的な設計をするための環境を整備したいと考えています。安全性と経済性のバランスがとれた「合理的な意思決定」が定着すれば、自己責任の考え方も浸透するし、たとえば原子力発電所稼働の是非についてもより深い議論ができるようになり、議論の透明性や、結論に対する納得感も高まることでしょう。What's your dream? あなたの夢を周りの人に熱く語ってみてはいかがですか？

設計部ビジョン（その3）

今日は、２００５年に制定した設計部ビジョン「一人ひとりがProfessional」について、私が思っていることを説明しておきたいと思います。そして、皆さんにも再度このビジョンについて考え、自分自身のビジョンとして取り組んでいただきたいと思います。

私が思い描いているのは、設計部員の皆さんが、社内外の様々な場面で、プロの土木技術者として活躍している状況です。たとえば、国内外のプロジェクトで発注者や関係会社と交渉・調整してプロジェクトをけん引している様子、幅広い専門知識や経験に基づいて説明し客先が納得している様子、自分の専門分野に関する問い合わせに関して迅速かつ的確に、そして期待以上の回答をしている様子、論文集や技術雑誌に論文や報告などを掲載している様子、学会の講演会や討論会で講師やパネリストを務めている様子、自分の専門分野の技術の研鑽に努めている様子、自分の専門分野のキーパーソンから一目置かれている様子、そして、プロフェッショナルとして技術者倫理に従った行動をし、説明責任を果たしている様子、等々を思い描いているのです。部員一人ひとりが、このビジョンに向かって行動し、思い描いている状況に近づいていけば、職場は活性化されていき、個人のモチベーションアップへの波及効果はとても大きくなっていくと思います。設計部ビジョンの狙いは、この点にあります。

では、何をすればよいかということですが、まずは、自分が何のプロフェッショナルになりたいかを決めることが必要です。決めただけではうやむやになるので、決めた専門分野を認定し、名刺に表示し、執務室にも表示するという方策をとっています。そして、その専門分野のキーパーソンが委員長を務める学会の委員会などに参加し、幹事役などを務めて、キーパーソンから認められる存在になる必要があります。ここまでは、設計部として支援できる方策です。ただ、これだけでは、ビジョンを達成することはできません。ビジョン達成のために最も重要なことは、個人個人の強い意志と具体的な行動です。

この設計部ビジョンに向かって、個人が日常的にするべきことは、自分の専門分野に関する技術の習得に努めることです。「LNGタンクの設計」を専門分野と決めたら、LNGタンクに関する国内外の最新情報を入手したり、設計指針類の理解を深めたり、あるいは担当している案件に関する論文発表をしたり、計画的にかつ継続的に取り組むことが重要です。もっと狭い分野、たとえば、「鉄筋の継ぎ手」や「Auto CAD」といったものを専門分野に決めたのなら、その分野では誰にも負けない知識を持って対応できる状態になるように、専門書を学習したり、講習会に参加したりといった活動を継続する必要があります。「専門分野に定めた」ということは、その分野に興味があるはずですから、好奇心を持って勉強できると思います。国内外の論文集などは、技術研究所に行けばある程度読めますし、必要な書籍は部署で購入することもできます。やる気のある人には、会社としても様々な支援をすることができます。自分が定めた専門分野のプロフェッショナルになるためには、その分野にのめりこんで、集中して勉強する時間が必要です。ただ、一旦そのような努力をすれば、その分野の頂点は、思っていたほど高くないことに気づくと思います。委員会に参加したり、国際会議に参加したりすると、自分が努力しなくても、色々な情報が自分のところへ届くようになります。専門分野に関する興味を持ち続けるためには、「月に一編は関連した論文を読む」など小さなことでいいから、日常的に技術の研鑽に努めることが重要です。

日常の案件対応の仕事には徹底的に取り組む必要があります。ただし、そのような日常業務は「やって当たり前」の仕事であり、それだけやっていて満足しているようでは、二流の技術者、二流の設計部に甘んじることになります。皆さんは、一流のプロフェッショナルになる潜在能力を持っているので、是非自己研鑽を積み重ねて、そして活動範囲を拡げて、ステップアップして欲しいと思います。そして、同僚とともに設計部ビジョンの達成を目指して進んでいきましょう。

2

職場・仕事

良い職場

ある経営コンサルタントの話ですが、「良い職場を定義してください」と言うと、様々なとらえ方があることがわかるそうです。大きくまとめると、

- 一人ひとりの高い意識と能力（ex. 一人ひとりが高いプロ意識を持って働いている職場）
- みんなで何かに向かっていく一体感（ex. 夢を共有している、思いを共有している職場）
- お互いの力を引き出し合う関係（ex. お互いの発想やアイデア、お互いの力を引き出し合える職場）
- お互いを支え合う関係（ex. 仲間意識が持てる職場、上司も含めて仲間だと思える職場）
- 心の支えになる場（ex. 本音で何でも話せる、語り合える職場）
- 誇りが持てる職場（ex. 一緒にいて誇れる、自慢できる仲間に囲まれていると実感できる職場）

などになります。

皆さんは、右記のそれぞれの項目において、どのような貢献をしているでしょうか？　また、それぞれの項目に貢献している人が思い浮かびますか？

その経営コンサルタントは、

『良い職場であるかどうかを最終的に決めるのは、その職場がお客さんや社会に必要とされる高い価値を提供していたかどうかです。それは、生み出した製品やサービスが世の中の人達の幸せにどれだけ寄与したかで測られるべきです。その代替指標の一つが収益であるはず。収益は組織が存続して価値を生み出すために、必要な資源です。企業や組織がより大きな価値を世の中に提供し続けるために、適切な利益を得ていくことは必要です。ただし、あくまで利益は人を幸せにするための手段であって、目的ではありません。こう考えると、良い職場とは、「人々を幸せにする価値を生み出し続けられる組織」だと定義できます。』

と言います。

また、良い職場だと言われている職場には、イキイキ感情とあたたか感情がバランスよく高く出ているそうです。さて、私達の部や我が社では、「仕事が面白い、職場が楽しい、会社が好きだ」というような良い感情が共有されているでしょうか?

活気がない「いいオフィス」

元トリンプ・インターナショナル社長の吉越浩一郎さんが書いた「活気がないのが『いいオフィス』」という話を紹介しましょう(『君はまだ残業しているのか』PHP研究所、2012)。

『他社との競争に勝てる強い組織にするには、あらゆる面でスピードアップをする必要があります。そのためには、ルーティンの仕事はマニュアル化し、コンピュータやアウトソーシングで済む仕事は片っ端から置き換え、社員は社員にしかできない仕事に集中して取り組むようにすれば、会社の効率は確実に上がります。

しかし、これだけではまだ足りません。次に手をつけるべきは「活気あふれるオフィス」です。部屋のあちこちから話し声が聞こえ、電話が鳴り響き、コピー機やプリンターの周囲は絶えず誰かがうろうろしている。多くの日本の会社を描写するとこんな感じではないでしょうか。そして社長も社員も「うちの会社は活気があっていいなあ」と思っている。

そう思うなら、それはあなたが効率的な仕事のやり方を知らないのです。日本人の大好きな、わいわいガヤガヤしたオフィスは、残念ながら仕事をする環境としては最悪だ、と言わざるを得ません。なぜ、にぎやかなオフィスでは効率的な仕事ができないのでしょうか。その説明をする前に、日本の会社が騒がしい理由を考えてみることにします。

それは、周囲の人と話をしながら仕事をする習慣がついているからです。「明日の会議、何時からだっけ」「この文章ヘンかどうか見てくれない」「僕のコピーを頼むよ」「○○さん、××から電話ですよ」話しかけられた方は、そのたびに作業の手を止めなければなりませんし、若手社員は自分宛てではない電話を取り次ぐのが仕事になっています。こんな環境では、とても集中して仕事などできません。要するに、にぎやかで活気あふれるオフィスというのは、誰も仕事に集中できていない状態なのです。それなのに、喧噪の中にいるというだけで、なぜか自分達は仕事をした気になってしまっている。こうした「悪い環境」で仕事をしていることも日本の会社から残業がなくならない大きな要因の一つです。』

皆さん自身の行動の中で非効率な点がないか考えてみましょう。右の吉越さんの文章にあるように、人と話している場面をよく目にしますね。さらに言うと、本人は「打ち合わせしている」「説明している」と思っているのかもしれませんが、どうみても、その場で考えていたり、不必要な説明をしていたりするケースが多く見られます。人に話をするときは事前に自分なりの結論まで考えた上で打ち合わせをすること、打ち合わせの場ではあれこれ考えないこと、会議は必要最小限の参加者に絞ること、無暗に人を呼ばないことなど、自分が意識すれば効率化できることが多々あります。人と話をするということは、相手の時間も使っているのだということも理解して、効率的な時間の使い方を実践していただきたいと思います。

ミラーニューロン

脳内の神経細胞ミラーニューロンは、生物学におけるDNAの発見に匹敵するとさえ称される、人間を理解するために非常に重要な物質です。ミラーニューロンとは、自分の行動と、目撃している他人の行動を区別せずに、どちらの場合にも自らを活性化させる神経細胞です。たとえば、床に落ちているゴミを自分で拾う場合も、そのゴミを他人が拾っているのを見た場合も、どちらの場合でもミラーニューロンは活性化します。このように他者の行動が自分のミラーニューロンを活性化させるのは、その他者の行動の意味を理解し共感したり、模倣によって自分が新たなスキルを習得したりするために重要であると考えられています。

「仲の良い夫婦の顔は似てくる」という俗説にも、ミラーニューロンが深く関わっていると考えられています。また、海外生活が長い人の行動が滞在国の人に似てきたりしますね。私も台湾へ行き始めた当初は、街中で日本語で話しかけられることがしばしばありました。「どうして日本人だとわかるのだろう？」と不思議に思っていましたが、何十回と台湾に行き、さらには駐在している頃になると、日本語で話しかけられることはなくなり、逆に飛行機の中でもキャビンアテンダントに中国語で話しかけられるようになってきました。知らず知らず自分の雰囲気や行動が台湾人ぽくなっていったのでしょう。このような変化の過程では、ミラーニューロンの働きがあることは、容易に想像できます。

「朱に交われば赤くなる」ということわざがありますが、積極的に学ぶ人々の姿が直接見られる職場では、ミラーニューロンの働きによって多くの人達が自発的に学ぶようになるはずです。こうして社内に学びへの情熱を持った人材が増えてくると、社員同士が自発的に勉強会を開いたり、図書を推薦しあったり、情報交換をしあったりするようになります。ミラーニューロンの効果によって、学びへの情熱のパンデミック（大流行）を起こすことができれば、人を育てる社風は比較的短期間でも醸成できるでしょう。

自分が率先して何か良いことを始めれば、周りにいる人のミラーニューロンを活性化させて、影響を与えていくことになります。まずは、自分が行動を起こすことが重要であることを認識し、継続的に自己啓発や新しいことへのチャレンジなどをしていただきたいと思います。そのような個人個人の取り組みが相乗効果を引き出して、技術力とともに活力のある集団を作り出していくことになります。

まずは行動

日本人にアンケートをとると、「どちらとも言えない」と答える人の割合が、他の国に比べてかなり高いという研究結果があります。自分の身に差し迫った問題でなければ、あまり自己主張しない、目立ちたくない、リスクをとりたくない、というのが多くの日本人の性向であるようです。

会社の中でもそうですが、上職者の顔色をうかがってばかりいて、自分の意見を開示しなくなり、自分の考えに従った行動をとらなくなってくると、その組織は衰退していきます。多少自分の考えとは違っても、あるいは自分にとってマイナスになることがわかっていても同調してしまう人や、説明が面倒だったり、上職者と波風を立てたくなかったりなどと考える人が増えていくと、組織としての能力が発揮できなくなります。

それとは反対に、若い人が気軽に意見を言えて、また、そのような意見を上職者が積極的に取り入れていくような風土がある組織は、活気が出てきますし、発展していくのだと思います。私は、私達の部をそのように活気のある組織にしたいと考えていて、そのための雰囲気作りをしているつもりですし、今後も若い人が気軽に意見を言えるような場面を作り出していきたいと思っています。

先日テレビを観ていたら、「このような混沌とした時代こそ、若者が自己主張できる時で、チャンスなんだ」とか、「危機的な政治・経済の状況を打破するために、坂本龍馬のような政治家に現れて欲しい」というコメントを聞きましたが、確かにそうだなと思いました。自分が「これだ！」と思うことがあれば、自分自身が行動を起こすとともに、社内外問わず一緒に行動してくれる仲間を作っていくことが重要です。自分だけでやっていると、楽な方へ流れて簡単に止めてしまうかもしれませんが、他の人と一緒にやっていると、止めることが少し難しくなってきます。また、新しいことを実行するときに、「私はこういうことをやる」と周りの人に宣言するのも良い方法ですね。人は嘘はつきたくないので、宣言したらある程度のことは実行するものです。

酒の席などで、話をしていると、現状を批判して、自分の考えをあれこれ言う人がいますが、「その問題を打開するために、あなたはどういうことをやっていますか？」と尋ねると、具体的な行動を取っていない人が殆どですね。酔った勢いで、欲求不満を解消していると言ってしまえばそれまでですが、そんな話を聞かされる方は全然面白くないわけです。皆さんには是非、会社の発展や組織の活性化につながるような自分なりの行動を起こしてもらいたいと思っています。そして、皆さんからそんな話を酒の席で聞くのを楽しみにしています。

感謝の言葉

『日本ではどうも、褒めたり、労をねぎらったりすることが苦手な方が多いようです。苦手と言うよりも、その習慣があまりないのかもしれません。あるいは、なんだか気恥しく思ってしまうのでしょうか。「お疲れさまでした」はよく言いますし、「よくがんばってくれた」「みんなよくやった」くらいの褒め言葉はあっても、「この件で○○してくれたので助かった」「昨日のプレゼンのこの部分が効果的だった」といった個人に向けた具体的な褒め言葉はあまり聞きません。

一方で、欧米文化圏では、上司から「評価される」ことを重視して仕事をしている人が多くいます。評価＝褒め言葉とは限りませんが、上に立つ人は、部下に対して「あなたの仕事を見ていますよ、成果に気付いていますよ」と事あるごとに伝えることが必要になります。なぜなら、performance-based pay system（能力給）が中心の欧米文化圏の人々は、日常的に評価をする・される、ということを強く意識しながら働いているからです。そして上司は、優秀な人のturnover（離職率）を低く抑えるために、「あなたの仕事ぶりを買っていますよ」と常に伝えなくてはなりません。今後欧米文化圏で仕事をするのであれば、このあたりのmindset（考え方、世の中の捉え方）の転換が必要になってくるかもしれませんね。

全てがスムーズにいっている日常ではなかなか感謝の気持ちを表す機会がありませんが、何事もなく仕事が回っていることこそ、良い仕事をしている証拠です。褒め言葉も感謝の言葉も当たり前に、なるべく頻繁にかけるのが良いようです。これはマネジメントに関わっている人なら覚えておきたいことですね。』

この文章は、『ＮＨＫ入門ビジネス英語』12月号にあったので、若干修正して紹介しました。同じテキストにあった英文を利用して、私から皆さんへ、今年一年の活躍に対してお礼の言葉を一言申し上げます。ＮＨＫの語学テキストも結構使えますよ。

First of all, I would like to thank every one of you for your hard work this year. Without your dedication, we wouldn't have achieved the results at present. The year-end party will be held tonight. Let's celebrate our performance this year and have a great time! Again, thank you all for your excellent work.

それでは今晩は、この一年を振り返り、楽しく語らいましょう。

質疑応答のコツ

プレゼンテーションそのものは事前にいくらでも準備ができますが、質疑に対する応答は経験を重ねないと、なかなかうまくいかないものです。そうは言っても、質疑応答をうまく乗り切るためのコツはあるようです。今日は、そんなコツをいくつか紹介しますので、参考にして下さい。

⑴ 質問の確認、言い換え

質問が出たら即座に答えるのではなく、一度、質問の趣旨を質問者に確認し、自分の言葉で質問を言い換えます。この作業により、質問者の意図を明確にすることができます。もし、自分の手に負えないような難しい質問が出されたら、この時点でその質問に対する質問者の意見を最初に聞いてから、その後に答えるのも良いでしょう。

⑵ 質問者個人ではなく、全体に答える

⑴の後、即座に質問者と一対一の対話を始めるのではなく、被説明者全体に答えることを忘れてはなりません。質問の中には、専門的な内容のため質問者と説明者にしか理解できないことがあります。そのときには、質問に答える前に、その質問や言葉がどういう意味を持つかを一度、被説明者全体に向かって説明するようにしましょう。そうすることで、議論を全員で共有することができます。

⑶ 質問に答えられたかどうか質問者に確認する

質問に一通り答えたら、その回答が十分であったかを最後に質問者に確認します。相手が満足する答えだったかどうかは説明者自身には分かりませんし、そもそも質問自体が期待する回答を得るために適切ではないこともあるからです。確認することで質問が出れば、新たな議論を展開することができます。もし不適切な質問が続くようであれば、「他に質問があるので、それについては会が終わった後で議論しましょう」と対応すればいいでしょう。

予期せぬ質問が出ることは誰でも不安なものですが、発表の内容について一番よく知っているのは説明者自身です。そもそも、質問者の質問に100％回答することがプレゼンテーションの目的ではありません。プレゼンテーションは情報伝達のためだけではなく、困難な場面に直面した時に逃げるのか、弁明するのか、誠実に対処するのか、説明者の人となりを見る場でもあるのです。もし質問に答えられない場合に遭遇したら、「存じ上げません」という答えだけで済ますのではなく、「その点については分かりかねますが、〇〇の状況から察すると……」「現時点では詳しくお答えできませんが、〇〇の場合では……」というように、関連する情報を追加し、答えられる範囲で答えようとする態度を示すことが重要だと思います。また、質問者にとっても発表内容を包括し、創造的な議論を生み出すような質問をすることが難しいということを心に留めておくことも大事です。

プレゼンテーションならびに質疑応答に対しては、発表練習のみならず、どのような聴衆を相手にしているか、その聴衆からはどのような質問が予想されるかなど、事前に周到に準備しておくことが最も重要であることは言うまでもありません。

文章表現のヒント

プロフェッショナルの仕事は、「専門的な内容を説明し、相手に理解してもらうこと」だとも言えます。我々技術者の説明の方法には、プレゼンテーションツールを用いた口頭説明とともに図や文章による説明があります。今日は、効果的な文章表現のヒントを紹介しましょう。

文章を分かり易く読み易くするためには、簡潔な文章表現を心がけることが重要です。技術文書では、一文の長さを50文字以内とするのが良いと言われています。また、文をスリムにすることも必要で、次のような点に注意して下さい。

①不要な語句を削る　　：「議論することができます」　↓「議論できます」
②不要な修飾語を削る：「今までになかった画期的な」↓「画期的な」
③重複した表現を削る：「大別すると三つに分けられ」↓「大きく三つに分けられ」
④文末表現を見直す　　：「検討を行った」　　　　　↓「検討した」

文章表現それ自体の工夫や配慮によって、文章を読む人の分かり易さを向上させることができます。そのヒントをいくつか紹介します。

①複文を一文一義（一つの文で一つの意味を伝える）に変える
（原文）「教師をはじめ多くの大人達も当惑している子ども達の変化は、子ども自身に原因があるのではなく、社会環境に問題がある」
↓（修正）「子ども達が変化したことに、教師をはじめ多くの大人達が当惑している。子ども達の変化の原因は、子ども自身にあるのではなく、子どもを取り巻く社会環境の問題にある」

②否定文・否定表現を肯定表現に変える
（原文）「今回の調査結果が特殊なケースではないとは言えない」
↓（修正）「今回の調査結果が特殊なケースという可能性がある」

③語順を整理する
（原文）「全く新しいプロバイダーのサービス」
↓（修正）「プロバイダーによる全く新しいサービス」

基本的なことですが、日本語を正しく表現することは何よりも大切です。日本語表現の正確さが内容の正確さに対する印象を向上させることもあります。

①主語と述語を対応させる
②副詞の慣用的な呼応関係を遵守する

▪否定表現で呼応する副詞：到底、全く、必ずしも、一向に、全然
▪比喩表現で呼応する副詞：たとえば、まるで、あたかも
▪疑問表現で呼応する副詞：なぜ、果たして、どうして、いつから
▪断定表現で呼応する副詞：きっと、まさに、もちろん
▪推量表現で呼応する副詞：たぶん、おそらく

③口語表現は使わない

文章は、説明者と被説明者が交わることなく行われるコミュニケーションですから、情報が正確に伝達されるためには、文章表現に関して様々なレベルでの配慮が求められるのです。

質疑応答のスキル

皆さんも社内外の会議に出席する機会が少なからずあると思います。私達の部では、自分が主体となって説明している社外会議が、平均一人当たり月3回という統計があります。ということは、社内会議も含めると、毎週1〜2回は、自分が主説明者となる会議に参加しているのだと思います。会議をうまく進めるためには、説明そのものよりも、質疑応答を適切に行うことの方が難しいし、重要だと思います。これは、プレゼンテーションについても言えますね。

質疑応答のスキルについては色々あると思いますが、次に挙げる六つは、その中でも代表的なものです。

①前置きをせず、質問は簡潔にする。
（質問と直接関係のないことを長々と前置きでしゃべると、相手はだらけてしまいます）
②まず相手の発言の中心に触れ、次にその発言について返答する。
（相手の質問内容をよく理解しないまま返答すると、誤解していたりして、議論がかみ合わなくなる場合があります。そのような食い違いを避けるために、相手の質問を自分なりにリフレイズすることは有効です）
③相手への質問と自分の主張を同時にしない。質問は論証形式にしない。
（自分の主張をしてしまうと、今度はその主張の部分に対して質問が出て、質疑応答の役割が逆転し、元の質問に対する相手の返答がうやむやになる恐れがあります）
④相手に対する自分の質問内容を覚えておき、その質問に相手が答えているかどうかその都度確認する。
（相手が自分の質問に答えていない場合は、それを指摘することです）
⑤自分は相手の意見に賛成なのか、反対なのか、異論を唱えるのかを明確にする。
（自分の意見と相手の意見の関係性を明確にすることで、効率的な質疑応答ができるようになります）

⑥自分の質問は実態調査タイプか、仮説検証タイプかを知る。

質疑応答において、互いの発言内容の論理性が保たれていることは、もちろん重要ですが、同時に、自分の発言が他者の発言に対してどのようなスタンスにあるのかを表明し、かつ意識することも大事です。相手に賛成しているのか、反対なのか、相手の発言をさらに支持するような根拠を提示しようというのか、はたまた、相手の論証への反証事例を出そうというのか、その辺りのスタンスを明確にすることは、自分自身にとっても、議論に参加している他の人にとっても、有益なことです。さらに、質問への返答はその質問のタイプと密接に関連していることを知り、返答の評価ができるように準備しておくことも大事です。

議論の方法の一つにディベートがあります。ディベートの目的は、議論を深くすることによって、より良い結論を導き出すことにあります。決して相手を論破することが目的ではありません。ディベートのトレーニングに「セルフ・ディベート」があります。これは自分自身を相手にして、仮想議論を展開する方法のことを指します。たとえば、自分が「東京オリンピック開催」という主張をし、徹底的に自分の主張をバックアップすると同時に、一方ではこの考え方に反対する仮想の相手（東京オリンピック開催反対）を設定して、自分の主張をことごとく否定させるのです。皆さんも頭の体操のつもりで、やってみてはいかがですか。

情報伝達

事実や真意が正確に伝わらないということは、色々な場面で見受けられます。皆さんも、「自分が言ったことが曲解された」とか「言いたいことが伝わらなかった」とかの経験があると思います。

1月に、『東大地震研の平田直教授が「首都圏直下でM7の地震が今後4年で70％の確率で発生する」と発表した』とマスコミが取り上げて、ちょっとした話題になりました。『以前は「今後30年で70％の確率で発生する」と言っていたのに、期間が早まった』というわけです。この報道は、平田先生の真意を伝えていません。平田先生の趣旨は、「首都圏直下で、M7クラスの地震はいつ起きるかわからないので、そのための備えをちゃんとしておきましょう」ということでしたが、この趣旨はほとんど伝えられずに、マスコミが数字を強調して報じたために、一般市民にさらなる誤解を与えてしまいました。70％の確率というのは、人間が「これはまず起こるな」と判断する確率だと言われています。たとえば、「サイコロを6回投げたら（『六つのサイコロを投げて』でも同じ）1の目が出ると思いますか？」と問われれば、ほとんどの人は、「1回投げて1の目が出る確率が6分の1だから、6回投げればまず確実に1の目が出るだろう」と考えますね。簡単な計算ですが、サイコロを6回投げて1の目が出る確率は66・5％になります。つまり、66・5％位の確率は、我々が「まず確実に起こりそうだ」

と判断する確率だということです。数年前、「M6・9の地震は日本中どこでもいつでも起こりうる」という政府機関の発表があり、マスコミも大きく取り上げましたが、この内容は、この度の平田先生が公表した「首都圏直下でM7の地震が今後4年で70%の確率で発生する」という内容とほとんど同じ内容ですから、マスコミがセンセーショナルに報道する必要もないし、一般市民もマスコミ情報を鵜呑みにするのではなくて、「以前と同じ内容だな。震災の備えをしっかりしておこう」と、正しく理解できれば良いのです。今回は、さらに京大の先生が「自分の計算では、首都圏直下でM7の地震が発生する確率は5年で28%だ」などと公表して、それをまたマスコミが取り上げたものですから、話がさらにおかしくなりました。京大の先生は、平田先生の趣旨を十分理解すべきだと思いますし、マスコミはそんな数字だけの情報を取り上げるべきではありません。

「現場の声が正しく伝わらない」ということは、昨年の震災に関連した様々な場面で起こっているようです。先週、土木学会主催で、東日本大震災シンポジウムが東大で開催されました。その中で東大の小長井先生も右記のようなことを指摘されました。小長井先生は、それを称して「伝言ゲーム」と言われました。情報伝達の階層が多いと、情報が間違って伝えられたり、変なフィルターがかかったりするため、事実が正確に伝わらなくなる危険性があります。小長井先生は、「オリジナルのメッセージを皆が見られる状態にすべきである」と強調されました。

組織が階層化すると、「伝言ゲーム」のような問題が発生するし、間違った情報に基づく「愚かな意思決定」も起こりかねません。このような観点からも組織の重層構造をなくすことは有効な対策となります。また、階層を通じて情報を伝達するのではなくて、関係者が同じ情報を共有できる方法を実施することも重要です。

新本社

私が入社したのは昭和56年で、2カ月の研修の後、6月に土木開発部に配属になりました。当時の土木の技術系部署は、設計部・技術部・開発部の3部署で、京橋本社裏の第5別館にありました。当時の京橋本社は確か7階建てで、昼食の定食は2種類からの究極の選択でした。第5別館から本社へ行く用事は、昼食を食べに行くことと、最上階に電算カードをパンチする機械があったので、その機械を使う時くらいでしたね。当時の執務スペースは狭くて、椅子を引くと後ろの人にあたりました。机の上には製図板が置いてあって、まだCADがなかったので手書きで図面を作成していました。そう言えば頻繁に館内放送があって、社屋に出入りしている印刷会社の人が呼び出されていたのが耳に残っています。また、多くの書類を持って打ち合わせに行くときなどは、配車室に電話して会社の車を使ってお客さんの所へ行っていました。懐かしい想い出です。

技術系部署は昭和58年に田町にある「三田43森ビル」へ引っ越しました。近代的なビルでしたが、執務スペースの様子はさほど変わらず、昼食も残業食も弁当でした。1階にあったラポとルシアンというレストランの名前をいまだに覚えています。3年ほど前ですが付近を通ったので、そのビルで我々が働いていたフロアにこっそり行きましたが、エレベータもオフィスの様子も当時と変わっていませんでした。平成2年にシーバンスへ移ってきました。近代的なツインビルの一棟に本社機能が集結するということで、フレッシュな気持ちになりました。引っ越し早々家族が参加できるイベントがあって、屋台が出たり、着ぐるみのキャラクターがいたりで、まだ小さかった娘からは「お父さんの会社にはぬいぐるみがいる」と言われました。執務スペースも格段に広くなり、特に設計部署はL字型の机でした。しかし人数が増えてきたためだと思いますが、いつの間にか普通の机に縮小されました。食堂のメニューが一気に増えたのが嬉しかったですね。

さて20年以上を過ごしたシーバンスを離れて、今日から新本社での勤務が始まります。何事でも、新しいことがあると気分が変わるものです。特に勤務地、とりわけ執務スペースが一新されるという環境の変化は、気分だけでなく、仕事のやり方など何かを変えるまたとないチャンスです。この度の引っ越しに当たって、皆さんも不要な物を捨てて、身の回りが整理されたと思います。折角スリムになったのですから、この状態を維持したいですね。電子ファイルがあるものは紙で保管しない、紙しかないものは電子化して紙は捨てるなど、ちょっとした手順の変更を習慣化することで、書類の山をなくすことはできるはずです。仕事のやり方にとどまらず、生活のリズムを変えるチャンスでもあります。通勤途上の時間を利用して、好きな本を読んだり、英語の勉強をしたりすることを始めてもいいですね。また、東京駅へ行く途中にあるブリヂストン美術館は、日本屈指の美術館です。まだ行ったことがない人は是非行ってみてください。

私達の部では数年前から「明るく楽しく」をモットーにしています。私は事あるたびに言っているのですが皆さん気づいていますよね。時々耳にする「明るく元気で」ではありませんよ。頑張っている人に「元気で！」と言っても逆効果にしかなりません。私は「楽しくなければ仕事じゃない」と思っています。自分が楽しいと周りの仲間も楽しくなっていきます。では、楽しく仕事をするためにはどうするか？　新本社でのスタートを機に皆で工夫して実行していきましょう。

説明社会

設計部の仕事では、「相手に説明すること」に多くの時間を費やしています。土木の仕事の場合は、発注者側に専門技術者がいることが多いので、全くの専門外の方々に説明をする場面は少ないのですが、今後は一般市民や土木以外の専門分野の方々に説明する場面が増えてくるものと思われます。世の中では、あらゆるところで説明することが求められてきており、このような社会は「説明社会」と呼ばれています。「説明責任を果たす」あるいは「インフォームド・コンセント」という言葉が氾濫し、さらに説明を必要とする場面が圧倒的に増えた最近の風潮からすると、「説明社会」という言葉が登場したのは自然の流れだったと思います。２００９年に始まった裁判員制度も、法曹界において「専門家と素人のコミュニケーション」が本格化したと捉えることもできるのではないかと思います。いままで法曹界でしか通用しなかった用語や説明なども徐々に改善されていくのではないでしょうか。

「説明社会」になってきた背景には、説明を容易に求めやすい社会全体の民主化傾向とともに情報環境の発達があると思います。一昔前までは、説明における情報はたくさん持っている方から少ない情報しか持たない方へ流れていました。たとえば、教師から生徒へ、政府から国民へ、著者から読者へなどです。ところが、情報化社会と言われる現在では、説明におけるこうした一方的な情報の流れが加速されながらも、逆方向的な流れも作りだされています。「皆で作る百科事典」と呼ばれるWikipediaもこのような環境の産物と言えます。従来の百科事典では、限られたスペースで説明する必要がありましたが、Wikipediaでは、スペースの制約から解放され、いつでも好きなだけ説明することが可能になっています。書かれた内容の真偽は問題ですが、間違った記述は次第に淘汰されていくとの楽観が前提にあるようです。

このように説明する人、説明を受ける人が多様化していくにつれて、分かり易い説明が求められるようになっています。従来は、分かりにくい説明は、必ずしも非難の対象にはなりませんでした。「分からないのは自分の勉強不足だから、分かるようになるまで自分で努力をしなさい」という風潮があったと思います。ところが、現在では、分かり易い説明でなければ世の中から受け入れられない状況になっています。皆さんも日常の色々な場面で「自分が分かっていることを分かり易く相手に伝えること」の難しさを体験しているのではないでしょうか？日本には、科学技術の最先端知識を分かり易く、かつ面白く説明するサイエンス・ライターが不足していて、その養成の必要性が少しずつ認識され始めてきました。

このような社会的背景の中で、技術説明学、感性工学といった新しい学問が注目を集めています。説明を受ける側がどのように説明内容を捉えるかを科学的に知ることが重要だと思い、私は認知心理学を勉強することにしました。ただ、私の興味にダイレクトに応えてくれる研究内容はいまだに見当たりませんから、書籍に表されている研究成果をヒントに、日常の場面で活用できないかといった想像をしているのが現状です。「どのような説明をすれば、自分が伝えたいことを相手に理解してもらえるのか」という点は、我々にとって重要な課題です。皆さんも、説明が巧い人の説明方法を分析する、書籍で学習するなどの方法で、自分の説明技術をブラッシュアップしていただきたいと思います。また、説明を受ける側として、説明者から必要な情報を引き出す技術も重要になります。

メールの書き方

メールの書き方について、最近気になったことを伝えたいと思います。

⑴　宛先のメールアドレスの名前

社外へのメールの場合、宛先のメールアドレスの名前の表記は統一されているのが良いと思います。「会社名＋名前」という表記を使っているなら、全ての宛先名をそのパターンで統一すべきです。私は、社外の方には「名前＋様」、社内の方は「名前のみ」で統一しています。受領したメールを返信するときに、何も考えずに返信すると宛名の表記がばらばらになってしまうので、少し気を遣って自分なりの表記方法に統一してから返信するようにしてください。

⑵　タイトル

受信と返信を繰り返していると、途中でメールの主題が変わってしまい、内容がタイトルと合わない場合があります。そうなると、タイトルを見てもメールの内容がわかりません。そんな時は、前のタイトルは使わないで、内容に相応しいタイトルに変更すべきです。タイトルの付け方ですが、「【案件名】メール主題」というように分かり易く付けるのが、受信者に分かり易くて良いと思います。たとえば、「【○○タンク】設計打ち合わせのご連絡」という感じです。

⑶　文面（1）

メールの宛先は、ＴｏやＣＣに表示されているので、文中に改めて書く必要はないと思っている人がいますが、私はそれは間違いだと思います。メールの文面の始めには、「○○様（ｃｃ：△△様）」というように、そのメールの宛先の方を網羅して、誰宛てのメールであるかがわかるようにしておくことが、誰にアクションを取ってもらいたいかなどを認識してもらうためにも重要だと思います。

⑷ 文面（2）

受信と返信のメールを何往復分も長々と付けたメールが時々来ますが、同じ主題について、同じメンバーで受信と返信とを繰り返すことはまずないと思いますので、このようなダラダラメールは止めるべきです。自分が送る主題に限定した過去のメールの引用にとどめて、それ以外の過去のやり取りは削除すべきだと思います。前のメールを付けた形で返信する場合は、宛先の方全員に問題ない内容かどうか、不必要な内容が含まれていないか、などを吟味する必要があります。

⑸ 文面（3）

メールを出す時は、依頼のメールなのか、連絡のメールなのか、単なる情報提供のメールなのかなどの主旨を明確にする必要があります。依頼メールの場合は、誰に依頼しているのか、いつまでに返事が欲しいのかを明確にしなければなりません。最近、ＴｏとＣＣとが宛名に混在した依頼メールを受信したのですが、誰からの返信をいつまでに欲しいのかが書いてありませんでした。このようなメールでは誰も返信してくれないだろうと思います。期限を示す時は、「何月何日の何時まで」と明確に伝えなければなりません。

皆さんも、自分なりにメール表記のルールを作って、自分が言いたい主旨が相手に間違いなく、過不足なく伝わるような工夫をして、メールを使っていただきたいと思います。

時間厳守

「何月何日までに返事を下さい」という依頼をすることがよくあります。その依頼に対して、早々に返事をもらうと「ちゃんと考えてくれているんだ」と嬉しい気持ちになりますね。また、期限ぎりぎりに返事をくれる人が少なからずいます。「期限まで忘れないでいてくれて、ご苦労さんです。でも、もっと早く返事を出してくれれば、自分が楽になるのに」と思ったりしています。ひょっとして、期限があると、期限ぎりぎりに出さないといけないと思っているんじゃないかと疑いたくもなります。一番困るのは、何の連絡もない人です。こちらは依頼しているので、その人のために、余分な催促メールを出さなければなりません。手間がかかります。

依頼されたことに対して返事をするということは、時間を守るということと同じです。会議の時間や待ち合わせ時間に遅れる人がいると、他の人々が待ち時間を浪費するとともに、その人へ電話をして催促したりすることになります。このような無駄な作業が増えることを認識していれば、「絶対に遅刻は許されない」ことが理解できるはずです。また、待ち合わせ時間や開始時間は「参加者が次の行動をとる時間」ですから、資料の配布やパソコンの立ち上げ、TV電話の接続などの必要な準備は時間前に済ませておかなければなりません。準備に5分かかるのなら、会議室は会議開始5分前から予約しておく必要があります。

不具合Q＆Aや環境教育などのe-learningの受講案内が届いたら、よほどのことがない限り、即座に受講すべきです。そうすれば、その受講のことは頭から消し去ることができます。受講を先延ばしにすると受講するまで頭の片隅にとどめておかなければなりません。即座に対応することは、時間節約にもなるし、頭の中の整理にも効果的なのです。さらに、皆さんが受講したかどうかをフォローしている人がいることを忘れてはなりません。皆さんが受講するまで、「○○さんは、まだ受講していない。そろそろ催促しようか」などと気をもんでいる人がいるのです。e-learningでは、受講時間もチェックされています。スキップして受講時間が不足していると「未受講」になりますので、必ず所定の時間通りで受講して下さい。

9月1日に震災訓練があり、安否登録をしましたね。地震が8時に発生したという設定ですから、私の感覚だと、8時ジャストに安否登録の送信ボタンを押すのが当たり前です。皆さんが電波時計を持っているわけではないとはいえ、遅くとも8時1分までに安否登録するのが常識だと思います。先週、技術企画部から、安否登録に関するアンケートがきましたが、内容はピントがぼけたものでした。「1時間以内に登録しましたか？」などと中途半端な問いをしています。尋ねるのなら「1分以内に登録しましたか？」でしょう。また、遅れた理由を尋ねていましたが、遅れる理由などまずはないでしょう。考えられるとしたら、「親御さんが危篤で、すぐに実家に帰らなければならなくなり、8時は飛行機に乗っていた」というレベルの事情しかないのではないでしょうか？　皆さんの安否登録が遅れると、これもe-learningと同じで、登録が完了するまでフォローし続けている人達がいるのです。私やグループ長達も登録が完了していない人にコンタクトしましたし、震災対策本部では、未登録の人の名前を見ながら早く登録してくれないかと大勢の人がやきもきしていました。今回安否確認登録を8時ジャストにできなかった人は、このように他の方々に世話をかけている、心配をかけている、迷惑をかけているということを肝に銘じていただきたいと思います。実際に震災が発生した時も全く同じです。グループ長、部長、対策本部は、皆さん一人ひとりの安否をいち早く確認したいと願っているのです。

グローバル対応力

ビジネスには、グローバル対応力が必要であると言われています。「グローバル対応力」を構成するものは、大きく分けて三つと考えられています。それは、「異文化理解力」「説明力」そして「共感力」です。

「異文化理解力」とは、自分たちとは異なった価値観やものの考え方について、深く理解する力です。これがないと、外国人もすべて日本人と同じように考え、行動すると勘違いして、ビジネス上だけではなく、プライベートな付き合いにおいても大変な失敗をしてしまう可能性があります。「説明力」は、論理力と言い換えることもできますが、自分の考えを論理立てて説明できる力のことです。知力の一部ですが、異文化理解力と相まって、ものの考え方の違う外国人に自分の考えを伝える上で不可欠の力です。「共感力」は、情緒力と言い換えられます。他人の心や感情を理解する力です。頭では分かっていることも共感力がないと心で受け止めることができません。

よく「男性は説明力に優れ、女性は共感力が強い」と言われますが、男女の特性というより、それぞれは「知性」と「感情」に深く関わる力と言うほうがピッタリきます。これに対して、異文化理解力は中性的です。知だけでも情だけでも、異なった価値観はうまく理解できません。「別に理解できなくても構わないじゃないか」と思う人は、グローバルな人材になることは厳しいでしょう。この異文化理解力は、外国人や外国文化との付き合いだけに限りません。長い日本列島には、様々な文化があるので、国内においても異文化理解力は必要になります。

これらグローバル対応力に必要な三つの力を手軽に伸ばしていくにはどうしたらよいか、ということですが、ある企業アドバイザーの言っていることを紹介しますので、参考にして下さい。

「異文化理解力」の伸ばし方

- ラジオの語学講座で外国語を継続的に聞き、耳を鍛える
- 外国人に話しかけて度胸をつける
- ホストファミリーになる

「説明力」の伸ばし方

- 「なぜ」の気持ちを持って読書感想文を書く
- 日記や手紙で自分を客観視する
- 身に付けたい外国語を使って一人討論をする

「共感力」の伸ばし方

- 旅行やボランティア活動などを通じて国内で異文化を体験する
- 先祖のことを思う

これらの三つの力を効率的に伸ばすための一番の近道は、海外留学や海外勤務を通じて実践的に経験することだと思います。また、海外ではなくても、国内留学や地方勤務でも力を伸ばすことができると思います。

検討業務の価値

建設業の使命は、「人々が安全に安心して生活や事業活動ができる環境を提供すること」だということは何度も言っていますし、会社の幹部の方々も皆さん異口同音におっしゃいます。ただ、身の回りを見ていると、本当にこのような使命感を持って仕事にあたっているのか疑問になることがあります。

私達の部では、既設構造物の耐震検討や放射性廃棄物保管施設の長期耐震安全性検討などの業務も行っています。施工を伴わない、いわゆる「検討業務」です。「エネルギーの安定供給に貢献する」ことになるエネルギー関連施設の新設工事と同様に、これらの業務も同程度の価値がある業務であるということを、果たして皆が認識してくれているのかどうか不安になることがあります。「その耐震検討業務をやっていてくれれば、お客さんとの接点ができるので、営業的にありがたいです」とか「近い将来、大きな構造物の出件があるので、その検討業務に対応することで、当社の技術力をアピールしておきたい」という発言をする人を時々見かけます。「その検討業務そのものは当社にとって価値のないものだが、他の工事につながるから対応する」というスタンスです。このように、建設業の使命を認識していない人が多いようでは、残念ながら当社はまだまだ二流の会社だと言わざるを得ません。

たとえば、ＬＮＧタンクやダムが巨大地震時に機能を維持できるか、あるいは一時的に機能を発揮できない状態になったとしても二次被害は起こさないか、といったことを最新の技術で検討することは、それらの施設の管理者はもとより、周辺の住民や、その施設が機能することにより便益を享受する市民にとっても、安全・安心に関わる重要事項です。したがって、私たち土木技術者は、それらの人々が安全に安心して生活したり事業をしたりするために、持てる技術力を駆使して耐震安全性の検討業務にあたらなければなりません。検討結果に基づいて「この施設は安全です」とか、「この施設は耐震性能が不足しているので、このような対策が必要です」という結論を出すことは、まさに建設業の使命であると言えます。

巨大地震が発生した時にこの構造物は壊れないだろうか？　近所にある工場は大丈夫だろうか？　といった「不安」を、私達の技術力を持って「安心」に変えることが私達に課せられた使命だということを再度認識していただきたいと思います。特に、設計技術グループは、国内最高レベルの耐震検討技術を持っていますので、「人々」に最も安心していただける結論を提供することができます。そして、その状態を維持するために日常的に技術力の研鑽に努めなければならないことは言うまでもありません。

検討業務も外郭環状案件などと同様に建設業の使命を果たすための重要な業務であることに変わりはありません。私達は、その使命を全うするために高度な技術力を遺憾なく発揮し、プロフェッショナルの誇りを持って「検討業務」に積極的に取り組んでいきたいと思います。

働き方改革

従来の「仕事と家庭の両立支援策」は、育児休業、短時間勤務、子どもの看護休暇制度など、仕事時間を短縮することで、育児支援をするものでした。しかし、実際に両立支援策を利用するのはほとんど女性だけで、その結果、女性は働き盛りの時に仕事を長く離れたり、勤務時間を短縮したりすることになりました。手厚い支援策の導入は、逆に女性から大きな仕事を任される機会を奪い、男女の間に能力差、キャリア差を生んでしまいました。多くの企業もこうした支援策の欠陥に気付き始め、現在では、「育児を支援するのではなく、仕事を支援しよう」という方向に転換しつつあります。具体的には、育児休業期間の短縮、短時間勤務から早期にフルタイムに復帰することの支援などが目指されるようになりました。資生堂では、①企業内に託児所を設置する、②福利厚生のカフェテリアプランの中にベビーシッター費用の補助という選択肢を入れる、③フレックスタイム・在宅勤務などフレキシブルな就業条件を認める、といった施策を始めています。

男性の育児参加が課題になっていて、そのためには、男性も女性も今の働き方の常識を変えなければならないことがわかってきました。「家のことは全て妻がやってくれるので、自分は何時間でも会社のために働ける」という働き方は、専業主婦の妻を持つ既婚男性にしか通用しない常識です。ワーキングマザーはもちろん、共働きの男性にも適合していません。「毎日残業して当たり前」という常識を変える試みを、「ワークライフバランス」と言います。正確に定義すると、「仕事と、それ以外の生活（生涯教育・趣味の活動などの個人生活、育児・介護などの家族生活、社会貢献活動などの社会生活）を、会社が許容し、個人が希望するバランスで充実・両立できるよう、働き方を改革すること」です。

ワークライフバランスの実現に成功している会社は、日本ではまだ少ないようです。これを実現する最も簡単な方法は、残業を減らすために社員数を増やすことですが、人件費の増大で競争力が弱まるので、実行できる会社はありません。そうすると、一人当たりの労働時間の短縮（一時間当たりの労働生産性の向上）を目指すか、労働の柔軟化（フレックス、在宅労働など多様な働き方）を認めるしか方法はありません。多くの会社では、「週一回、水曜日をノー残業デーとする」「消灯時間を決める」などを実施し、残業の削減努力を始めました。しかし、残念ながらほとんどの会社がそれ以上の工夫をしないため、ワークライフバランスは実現できていません。ノー残業デーの設置は、「社員の時間意識の強化」という観点から働き方を見直す契機になりますが、それだけでは、「水曜日に残業できなくなった分、木曜日の残業が増えた」となるかもしれず、本質的な解決にならないのです。

結局、「業務の廃止」「業務プロセスの簡素化」というこれらの業務改革を推進しなければ、根本的な解決になりません。つまり、選択と集中の観点から優先順位の低い仕事は廃止する、同じ成果を出すために投入するマン・アワー（業務に投入される作業者数と作業時間の積）をミニマム化するために業務プロセスを見直すことが必要なのです。「仕事の配分や社員の配置の見直し」「社員一人ひとりの能力アップ」も一時間当たりの生産性を高めるためには有効です。ワークライフバランスを実現させた会社に共通していることは、①社長が率先して働き方の改革をしたこと、②「残業時間の短縮」ではなく「残業がない会社」を目指したことだそうです。

3

仕事の進め方

メンタルロック

総合評価落札方式の技術提案、日常的な業務改善など、私たちはいろいろな場面で、新しいアイデアを出すことを求められています。そのような時には、頭をできるだけ柔らかくしておくことが重要です。固定観念にとらわれた状態をメンタルロックの状態と言うそうですが、メンタルロックに陥ると次のような発言になって現れるようです。

①それは他社でやっているのか
②しばらく様子をみよう
③どこかで成功した例があるか
④うまくいくかね
⑤先にやることがいっぱいあるよ
⑥それは上が承知しないよ
⑦以前に検討済みだよ
⑧もし失敗したら責任問題だ
⑨急には変えられない
⑩今のままでうまくいっている

創造的な思考を阻害するこのような言葉を自分が発言していないか、周りの人が言っていないか、眺めてみると面白いですよ。このようにちょっと余裕を持って眺めてみると、課題の打開に向けたアイデアが浮かんでくるかもしれません。

グループ討議

13年ほど前に受けた研修での話です。答えがはっきり分からないような4択問題が20問あり、まず、個人個人で答えを選びます。次に、8人のグループの中で討議をして、グループの答えを決めます。自分がわからない問題でも、グループの他の人が確信を持って答えられる場合もあるので、自分の最初の得点よりもグループの得点の方が高くなることが期待されます。そして、結果はどうだったかというと、私の最初の得点は18点で、討議した後のグループの得点は17点でした。私が間違っていた問題2問は、グループ討議により正解になりましたが、私が正解だった3問が、グループ討議で不正解になってしまいました。結果から言うと、私が十分にグループに貢献できなかったことになります。

この研修は、私に二つのことを教えてくれました。一つは、自分の考えを正確に相手に伝えることの重要さ。もう一つは、相手の意見を理解することの難しさ。これらのことは、当たり前のことですが、皆さんの身の回りを見て、思い当たることはありませんか？

■相手にわかる説明をしているか
■自分の考えを的確に主張しているか
■自分の考えに拘泥していないか
■相手の考えを理解する前に、自分の考えを押し付けていないか
■相手の意見を鵜呑みにしていないか
■自分は不要だと思っていることを、上司から言われただけで実施して、無駄な時間を費やしていないか

討議によって、参加者個人個人の能力以上の結論を、グループとして導き出せれば、その討議は意味のあるものとなります。「三人寄れば文殊の智恵」になるかどうかも、参加メンバーの心がけ次第です。貴重な時間を使う打ち合わせや会議を価値のあるものにしていきましょう。

早起きは三文の徳

時間を守ることは、「社会人の第一歩」、「仕事の基本」と言われます。私も何よりも時間厳守を第一に考えています。会議や待ち合わせ時間に対しては、3分以上前までには到着するようにしています。30年ほど前、当時の大学の指導教授から、「待ち合わせ時間とは、その時間

に間に合えばよいということではなくて、その時間から次の行動が起こせるということだ」という話を聞き、以来それを実行しているつもりです。

会議に遅れてくる人は、仕事がいくら素晴らしく出来たとしても、周りからは信用してもらえません。仕事の内容も、ばたばたやっているだろうから、間違いがあるだろうというように思われても仕方がありません。会議や待ち合わせ時間に遅れてくる人は、どうも決まっているようで、行動パターンに問題があると思います。

客先との打ち合わせの資料は、少なくとも前日には完成している。そのためには、上司のチェックを受けて、その修正もあるから、自分の段階では、打ち合わせ日の3日前には完成させておく。それを実現するために必要な作業項目を洗い出し、詳細なスケジュールを立て、確実に実施していく。時間を守るためには、このように、現実的な自分の行動スケジュールを立てることが重要だと思います。

以前、他本部の人ですが、「お客さんと約束した期限の2週間前には成果品が出来ていたのですが、お客さんにはその成果品は期限通りに提出しました。早く出来ていたので、余った時間は次の仕事をやってましたよ」という話を聞きました。そういう仕事のやり方もあるのだと感心し、自分もそういうやり方をやってみたいと思っていますが、なかなかそんなチャンスはやってきません。皆さんも、ほとんどの仕事は時間に追われて対応しているのだとは思いますが、意識的に提出物を1日でも2日でも早く完成させておくことをお勧めします。そうすると、余裕時間の間に、間違いに気づいたり、いいアイデアを思いついたりします。必ず、何かいいことがあるものです。「早起きは三文の徳」といったところでしょうか。

皆さんも、日頃の自分の時間コントロールを振り返り、改善すべきところは、いち早く改善していただきたいと思います。一旦良い習慣ができれば、それ以降は苦もなくスムーズに行動できるものです。

総合力の活用

「担当している業務で行き詰まったときは、自分で抱え込まないで、上司や身近な人に相談してください」ということは全体部会などで何度か話したと思います。これは、「不必要な時間を短縮する」という趣旨で話をしました。自分がある分野のプロフェッショナルであっても、自分だけで対応できる業務というのは、殆どないと思いますし、自分の経験は限られたものでしかありません。社内の色々な人材を活用すれば、成果品の質も向上しますし、業務を効率的に進めることができます。

先週、全国土木技術連絡会議がありました。その中で、不具合の未然防止に関連して、本部長は、「問題だと思ったら、もっと騒がなければならない」と強調されました。さらに、専務は、「土木で問題がある場合は、全社に情報発信しなければならない」という話をされました。担当者レベル、グループレベル、現場レベル、部署レベル、部門レベルなど、それぞれの組織・階層で、問題の中身は違いますが、あるべき行動様式は共通で、「自分の周りだけで問題を解決しようとしないで、関連部署を巻き込んで解決にあたる」ということです。このように問題解決にあたって、組織的に取り組んでいくことは、日本企業の特質であり、当社の強みにつながる点だと思います。

海外の技術者と技術力を比べてみて、当社の技術者の持つ技術力は遜色ないと感じていますが、かといって、たとえば、台湾の技術者よりも秀でているというわけではありません。これは私の実感です。しかしながら、過去の経験や色々なプロフェッショナルの知恵を活用することができれば、当社は海外の建設会社に比べて技術力が秀でていると断言できます。一般的に、海外の建設会社は、担当する技術者が自分の限られた人脈の力を借りて仕事をしていて、日本のような組織力を感じないからです。

「相談すること」、「騒ぐこと」、「情報発信すること」などが、いわゆる「総合力」を発揮することにつながり、その結果、業務の効率化がはかれ、不具合を未然に防止でき、海外における競争力を高めていけるのだと思います。

技術者倫理

1986年1月28日、スペースシャトル・チャレンジャー号が打ち上げ直後73秒で爆発した事故は、技術者倫理の事例として紹介されています。その原因を一言で言えば、ＮＡＳＡからＯリング（継ぎ目部のパッキング材）とブースターロケット製造を受託しているサイオコール社の経営陣が、技術者からの打ち上げ中止勧告を無視したこと、と語られています。しかし、どうもそれは一面的なとらえ方であり、話はそう単純ではなさそうです。

打ち上げ決定会議参加者の一人は、後日次のように述懐しています。『「チャレンジャー号は、絶対に打ち上げるべきではない。継ぎ目が不安定すぎる」と自分で書いたメモを持って会議に出席しましたが、自分が発言する番になるや、他の参加者同様、「打ち上げましょう」と言ってしまった』また、別の技術者は、「継ぎ目への低温の悪影響をはっきり証明できるデータがなかったので、何も言わなかったし、打ち上げ反対に固執しなかった」と打ち明けています。

このように会議で沈黙する理由について、社会学者のChristian Morel（ルノー社の人事部長も務めた人）は次の２点を挙げています。

①「誰かが発言したら、同じことを繰り返す必要はない」という考え方。この『反復は不要』という考え方は官僚的組織の特徴。

②特に科学的正当性を大事にする組織では、直感に基づいて主張しても正当性が認められないので、十分な知識がないと発言できないと感じる。打ち上げ決定会議で沈黙していた理由を、管理責任者は「問題に関して一般的知識しかなかったため」と言い、技術者は「部分的知識しかなかったから」と言っている。

また、Christian Morelは、真のエキスパートが沈黙すると「自称エキスパート」が台頭し、愚かな決定をしてしまう危険性を指摘しています。会議が愚かな決定に向かわないように、自分の専門分野においては、プロフェッショナルとしてしっかりと発言することも技術者倫理の範疇に含まれることだと思います。

さて、来週技師の皆さんを対象とした技術者倫理の勉強会を開催しますが、参加する方々は、勉強会の時に考えたことを実務にも是非活かしていただきたいと思います。

最高のパフォーマンス

先週の盆休みは、北京オリンピック開催中だったので、私はついついテレビ観戦していましたが、選手が真剣にやっている姿を見ると、感動することもしばしばありました。中でも、オリンピックのような大舞台で、自己記録を更新する選手が結構いることには驚かされます。自己記録更新ですから、今までの中で最高のパフォーマンスをしたということです。日々の練習に裏付けられた自信と本番での心身の状態をコントロールできる能力の賜物だと思います。

この「本番で最高のパフォーマンスをすること」を自分自身に照らし合わせてみると、客先会議や講演会、国際会議など、大勢の前で行うプレゼンテーションや、予断を許さない客先や他社との会議などで、最高のパフォーマンスをして、満足の得られる結果を導き出すということかなと思います。振り返ると、そのような場面でうまくいったケースに共通しているのは、「早い時期から準備をしていたこと」のように思います。準備時間が長いに越したことはありませんが、トータルの準備時間の長さよりも、いかに早くその場面に対する準備を始めるかの方が重要な気がします。早い時期から着手していると、その仕事をしていないときでも、大事なヒントを思いつくことがあって、準備内容がブラッシュアップされるチャンスが多くなります。一方、急に会議などが決まって、直前に集中的に準備するケースもあるのですが、そのような場合は、「あそこで、こう言えばよかった」などと後悔することが多々あります。皆さんも似たような経験があるのではないでしょうか？　急に予定が決まる場合はどうしようもないのですが、一般的には、Xデーが決まったら、できるだけ早くスケジュールを立てるとともに、できるだけ早い時期にXデー当日の青写真（プレゼではパワーポイントや発表原稿のドラフト、会議では議事次第とそれに基づく資料のドラフト）を作ることが成功への重要な鍵だと思います。

そして、早い段階からの準備以上に重要なのは、そのテーマ（分野）に関するプロフェッショナルとしての自信だと思います。説明、討議している内容に関して、自分に十分な知識と経験があれば、どのような質問や反論などがあっても、心理的にプレッシャーを感じることが少なく、落ち着いた対応ができます。そのような状態になるためにも、自分の専門分野に関して、日頃から自己研鑽して、高い技術力を身に付け、周りから一目置かれるようなプロフェッショナルを目指して、精進していただきたいと思います。

「早い時期からの準備」と「日頃からの自己研鑽」に裏付けられた自信を持って、自己記録を更新したオリンピック選手のように立派なパフォーマンスを演じていただきたいと思います。

後工程への配慮

私達の部の仕事のアウトプットは、顧客に対して、作成した図書を提出し、説明することと言えると思います。顧客とは、社外のお客様だけではなくて、仕事の依頼先である社内各部署も含まれます。professionalの語幹であるprofessの意味は「公言すること」ですから、書類や言葉を使って、受け手が納得するように、あるいは満足するように、いかにうまく説明するかが、professionalの腕の見せどころだと思います。

我々から提出物や説明を受けた顧客は、受けて終わりではなくて、必ず、受けたものに基づいて、自分達の作業に取り掛かることになります。我々のアウトプットが顧客にとって不十分だと、顧客の後工程において、手間がかかってしまう、あるいは間違った対応をしてしまう、などの不適当な事態が起こりかねません。

計算書を作る場合だと、お客様がチェックしやすいように、仕様書や基準類との対応を明確にしておくことが重要です。目新しい計算方法を使う場合には、参考資料などの補足説明が必要でしょう。検討書では、検討結果だけではなくて、その結果に基づいて、どのようなアクションをとるのか、その適用範囲は何かといった次工程に向けた結論が欠かせません。また、その検討書を受け取ったお客様の担当者が、上司へ報告しやすいような配慮も必要でしょう。設計図だと、材料仕様が明記されて、計算書と適合しているだけではなくて、次工程である施工のやり易さや安全面への配慮が必要なことは言うまでもありません。現場巡回での不具合の指摘は、対応方法も含めて明確に指摘するのはもちろんですが、現場の人達が確実に実施できる対応方法である必要があります。講演会で話をする、お客様にプレゼをする、などの場合は、自分の説明内容やプレゼ方法のことだけでなくて、自分の話を聴いた人達に何を持って帰っていただくかということを考え、「○○さんの話を聴いて収穫があった」と言われるような内容にする必要があります。

関連した内容では、リクルート活動があります。学生に話をする場合に、自分の体験談で、「あの仕事は厳しかったが達成感があり、貴重な経験になった。何よりも元気が一番」などと話をしても学生の琴線には触れません。そのような自分本位の説明ではなくて、「建設会社とは、『人々が安全に安心して生活や事業活動ができる環境を提供すること』が使命である。だから、我が社のビジョンは『安心を世界に提供するプロ集団』なのだ。このビジョンに関わる仕事は単に構造物を造ることだけではなく広範囲に及ぶ。皆さんが社会に貢献しようという意欲があるなら、幅広い受け皿が我が社にはある。20年後、30年後は皆さんの時代になるが、その時代は皆さんが切り拓くものである」というように学生の気持ちになった話しぶりが重要です。これは私の実体験です。

総合評価案件や民間の競争案件で提出する技術提案書やＶＥ提案書などでは、それらを受領した発注者は、応募各社の提案内容を比較検討するわけですから、発注者が比較検討しやすいような書き方が必要です。発注仕様書との対応がとれている、提案項目が明快に書かれている、読みやすい、などは最低条件と言えるでしょう。民間の競争案件で、フォーマットが特に指定されていない場合は、争点になりそうな項目についてケーススタディをして、比較表を作っておけば、発注者も助かるだろうと思います。また、そのような比較表は、当社の提案を優位に導くための手段としても使えます。

「product outではなくて、market inで」ということは昔から言われていることです。ともすれば、スケジュールに追われて、提出物を作成することで精一杯ということも多いのですが、改めて「プロフェッショナルとして後工程に配慮する」ということを、いつも頭に置きながら活動していただきたいと思います。

仕事着手の阻害要因

私は片づけないといけない仕事を付箋に書いて机の端に貼っています。いつも10項目以上はあります。出勤時は、今日は時間があるから大分処理できるなと思っていても、次々と新しい仕事が入ってきたり、急な打ち合わせがあったりして、一日が終わると仕事を処理するどころか逆に数が増えてしまうこともあります。皆さんも日常的に同じような状況ではないかと思います。

たまっている仕事には優先順位をつけて順番に処理しているつもりでも、どうしても後回しになってしまう仕事というものがあるものです。その原因は様々だと思います。

■しっかり考えないと取りかかれないので、ついつい後回しにしてしまう。
■日常業務に追われてズルズルと先送りしてしまう。
■急な仕事や頼まれごとを優先してしまい、予定通りに行動できない。
■イントラを見たり、ウェブ検索をしたりなど、今すぐやらなくてもいいことをしてしまう。

など。

懸案事項がスムーズに行動に移せるときはいいのですが、行動に移せないときには何がしかの妨げになるものがあるので、それを取り除くことが重要になります。では何が妨げになっているかをどのように確認したらよいのでしょうか。それを見つけるためには、自分が行動を起こすまでのパターンに着目する必要があります。人はまず、「こういうことをやろう」と「思考」します。この「思考」が「感情」に影響を与え、「感情」が「行動」に影響を与えます。したがって、「行動」を阻害する要因を見つけるためには、「思考」レベルや「感情」レベルで起こっていることに着目する必要があります。これは心理学の分野の話になります。つまり、

「頭の中で具体的にどのようなことを考えているか」を明確にしたり、「どのような感情が湧きあがっているか」を認識したりすることが必要になるわけです。たとえば、何かのわだかまりが自分の行動を阻害している要因だと認識できれば、そのわだかまりが生じる原因である期待やこだわりに気づき、その期待やこだわりを見直すということが問題解決になります。自分の持っている期待やこだわりを見直すことができれば、先送りしていた仕事にもスムーズに着手することができます。

自分の期待やこだわりの深奥には、「やり方を変えるのが面倒だ」とか「今までの自分が否定されてしまうと感じる」ことや「自分の能力の限界を知ることを恐れている」といった感情（執着）があるようです。このような執着を手放して、全てを受け入れられるような境地に立てれば心を楽にすることができ、後回しにしていた仕事にもスムーズに取りかかれて、自分の行動パターンも変わってくると言われています。執着を手放すということは、あきらめたり、どうでもいいと行動を放棄したりすることではありません。自分の欲求を意識し続けないで、どのような結果でも積極的に認めるということです。「どうして思い通りにならないのか」と悩むときは、「その欲求が、自分だけにメリットがあるものになっていないか」「その欲求は、それを向けられた相手にとっても本当にメリットがあるものになっているか。欲求を押し付けていないか」ということを、ちょっと立ち止まって考えてみることもいいでしょう。

無駄な時間削減

皆さん日常の仕事が忙しくて、残業も多く、なかなか自由な時間が作れない状態が続いていると思います。そのような時に自分の仕事の進め方や時間の使い方を客観的に分析してみることも大事です。結構、不必要なことに時間を使っていることに気付くはずです。私が特に気にしているのは次のようなことです。

- 出なくてもよい会議に出ていないか
- 打ち合わせが効率的に進められているか
- 不要な説明を求めていないか
- 不要な検討をしていないか

打ち合わせや説明は、複数の人間の時間を同時に使うので、思った以上に時間を使っています。基本的には、その仕事を担当する下位職者には必要な説明を確実にすることが重要ですが、上位職者には報告程度で良くて説明は必要ありません。実務は、設計責任者が判断するので、設計責任者の上位職者に説明して判断を仰ぐようなことをしてはいけません。また、設計責任者の上位職者が作業内容について詳しい説明を求めることもしてはいけません。これが基本です。上位職者が特定の案件に関わる役割は、設計審査に呼ばれた時に専門家として意見を言って、より良いアウトプットになるために貢献することに限られます。説明のための説明を求められる場合がありますが、この時間を減らすことも重要です。

仕事を進める上で、要所要所の打ち合わせは重要ですが、効率的な打ち合わせを心がけて欲しいと思います。打ち合わせは勉強会ではないので、その場で本を調べたり、読んだりしていては時間がどんどん浪費されます。勉強は自分の時間を使ってやるのが基本です。また、自分が理解するためにあれこれ細かい質問をする上職者はいませんか？ それが、成果品の内容に影響を及ぼすかどうかが、無駄かどうかの判断基準ですから、不必要な時間をとられそうだと感じたら、うまくかわして、時間をとられないようにしましょう。

繰り返しになりますが、それぞれの案件に関して、最終的な意思決定をするのは設計責任者です。私は、大きいプロジェクトだと、設計責任者が下位職者に意思決定を委ねてもよいと思っています。ここの所がどうもあいまいになって、無駄な時間を使っていることが目につきます。部長・本部長という階層構造の弊害かもしれませんが、それら上位ヒエラルキーの方々が、内側だけに目を向けるのではなくて、自分の本来の仕事は外に向かって情報を発信したり、専門家としてアウトプットを出したりすることであると認識して行動すればかなり改善されると思います。一方で、設計責任者および設計担当者の皆さんは、担当している案件に関しては、自分達以上に技術力を持っている人はいないことを認識し、決して上位職者の判断を仰ぐような態度を見せないでいただきたいと思います。上位職者の言うことに闇雲に従うと不必要な作業をしたり、判断を誤ったりすることも起こります。これは、大企業病の一つの兆候でもあります。

会議に出て、「この中で手を動かすのは誰だろう」と考えると無駄が見えてくるときがあります。無駄の原因は、上位ヒエラルキーの方々が内側に目を向け過ぎていることと組織の重層構造だと思います。私自身も立場上そんな会議に出ることが時々あります。なんとか現状を変革しないといけませんね。

整理整頓

たとえば、新しい服や靴を身に着けると気分がリフレッシュされますね。新しい文房具を使い始める時なども気分がすっきりします。職場において、ささやかではあっても、気分がいいことは色々あります。その中で、一番インパクトが大きいことは、身の回りを片づけることではないでしょうか。仕事に追われていると、物を片づけることが後回しになってしまい、それが続くと机の周りが書類の山になってしまいます。そのような状態になると、必要な書類を探すのに時間がかかったり、仕事をするスペースが狭くなったりして、結局仕事の効率がダウンしてしまいます。たとえば、「身の回りの整理整頓を週に1回行う」といったルールを自分で決めて、習慣にしてしまえば、ほとんど労力なく身の回りも気分もすっきりした状態にすることができます。

単なる整理整頓ではなくて、複数ある仕事そのものの整理整頓も重要です。私もそうですが、気乗りのしない仕事をどうしても後回しにしてしまう傾向が皆さんもあるのではないでしょうか。私の経験から言うと、面倒くさくて乗り気のしない仕事を先に片づけてしまう方が、気分がすっきりしますね。どうせやらなければならない仕事ですから、嫌なものに気を掛ける時間をできるだけ短くする方が気持ちの負担が少なくなります。私は、やらなければならないことを紙に書いて机に貼っていますが、そのリストの中で、細かいことや面倒くさいことから片づけるように心がけています。面倒くさいことも、いざやってみると実は簡単なことだったとか、面白そうなことだったという発見もあります。

関連したことで、時間の使い方があります。自分の時間をいかに効率的に使うか、他の人が使う時間をいかに少なくしてあげるか、ということを心がけなければなりません。相変わらず、会議時間に遅れてくるケースがありますし、会議の中で自分中心に時間を使い、結果として他の出席者に無駄な時間を使わせてしまうケースも目につきます。自分の遅刻や無駄な時間の使い方が、他の出席者の時間を浪費するだけでなく、気分もダウンさせていることを認識する必要があります。時間厳守は、整理整頓と共通して、仕事を進める上での基本事項ですし、気分をフレッシュにする重要な要素でもあります。

整理整頓・仕事の優先順位・時間厳守などは、生活の習慣で変えられることであり、労力も掛かりません。一方で、気分がフレッシュになる効果は大きいのですから、是非とも意識的に、そして計画的に取り組んでいただきたいと思います。

熟達の10年ルール

今日は、熟達の5段階モデルについて紹介します。

ビジネスパーソンとして、ある分野における世界レベルのプレーヤーになるには、最低10年の経験が必要だと言われます。教育学の世界では、特にこれを「熟達の10年ルール」と言ったりもします。言うまでもなく、この10年というのはスケール上の目安の話であって、必ず10年必要だとか、10年経てば誰でも世界レベルになれるという話ではありません。当然、これは仕事の内容や個人の能力によって変わってくる話です。

こうした熟達のステップについては、知っておくと良い熟達の5段階モデルがあります。この5段階を、『経験からの学習』（松尾睦、同文舘出版、２００６年）の記述に基づいてまとめると、以下のようになります。

- ■初心者：原則を理解しつつも、状況による原則の使い分けができない
- ■見習い：状況に応じた対応ができるものの、シニアによる指導が必要
- ■一人前：ルーティン・ワークであれば全て一人で対応できる

- 中堅者：微妙な状況の違いや、例外への対処などもできる
- 熟達者：状況を的確に判断し、直観でも正しい判断ができる

特に注意すべき点だと言われているのは、まだ熟達の域に達していないにもかかわらず、何事も直観に頼りたがる傾向のある人です。そうした人は、確かに他者よりも直観に恵まれていたりして、これまでに「直観が鋭いね」と周囲から褒められてきたりもしているので少し厄介です。また、自分の専門分野以外のことについて、直観で物を言う人をちらほら見かけます。特にそのような発言をする人が権限のある立場である場合は、無視するわけにもいかず、発言によってはその対応に無駄な時間をとられたりして厄介なことになります。

直観は重要です。ただ、本当の意味で直観が威力を発揮するのは、ある専門分野のシニアになってからの話であって、それまではむしろ直観に頼った判断を忌み嫌うくらいでちょうど良いようです。また、自分の専門分野以外の事項に対しては、直観的な発言は慎み、客観的な事実に基づいた判断を導くように心がけたいと思います。

今日の大事

ホワイトカラーの生産性向上が課題になっています。生産性向上に効果があるのは、何と

いっても、自分の仕事に興味を持っていること、やる気を出していることだと思います。やる気を出すことを後押しするためには、周りから認められるようにすること、つまり、承認欲求を満足させることが重要になります。そのために、設計部ではプロ認定制度など種々の方策を実施していることはご存じのとおりです。このような、人の内面的な部分の改善の他にも、仕事のやり方を少し工夫するだけで、生産性を向上できる方法があるので、少し紹介しましょう。

日本は生産現場の生産性は世界でもトップクラスですが、ホワイトカラーが入ると生産性はG7でビリ、OECD加盟30カ国中で19位という統計があります。また、ホワイトカラーの意識として、日本のビジネスマンは他の国に比べて、1時間の価値を非常に低く見積もっているようです。その原因として、日本のホワイトカラーはタイムマネジメントの重要性を認識している人が少ないことが指摘されています。

生産現場では、生産ラインの中に潜むムダをなくすことが、生産性向上に繋がります。しかしながら、内勤部署で生産性向上のために「ムダとり」を行おうとすると、必ず失敗するそうです。その理由は、設計部のような内勤部署では、生産現場と違って、毎日の仕事の内容がコロコロと変わるため、ムダ探しをすることに意味がないからです。これは、「ムダ探しのムダ」と言われています。では、生産性向上のためにどうすればよいか？　ホワイトカラーの仕事には、毎日内容が変化するという特性があるので、まず、毎日の作業の中で最も大事な仕事を事前に特定しておくことが重要です。そして、その「今日の大事」を処理する時間を決めます。そうすることによって、1日の終わりに、「今日の大事」を終わらすことができた達成感を味わうことができます。

「今日の大事」を事前に書いておく、もっと良いのは職場の皆が見える所に「今日の大事」を表示しておくと効果があるようです。これを1年も続けると、個人個人がその日のうちに処理できる仕事の割合が高まり、かつ、残業時間も少なくなっていったという事例があります。また、「今日の大事」の内容が変化していくそうです。つまり、「大事」の質が変化していく（高度化していく）ということです。

ホワイトカラーの生産性向上の一つのキーポイントはタイムマネジメントであり、時間という資源を有効活用するための効果的な方策を実施する必要があります。毎日事前に「今日の大事」とそれを処理する時間を決めて見える所に表示しておく、その日の終わりに達成できたか否か、達成できなかった場合はその原因について記入する、といったことを継続して、時々振り返る習慣をつけておけば、自分の仕事の生産性は確実に向上していくそうです。皆さんも、自分達で工夫して、自分の仕事の生産性向上に取り組んでみて下さい。

Idea Killers

課題があって、それを解決するためのアイデアを出す場面が時々あります。なんとか解決したいと思って、可能性のある解決策を自分なりに提案する人はいいですね。当事者意識を持って考えているからです。これに対して、自分からは何もアイデアを出さない人がいます。また、アイデアを出さないだけでなく、人のアイデアについて、「それは今までやったことがなくて難しい」とか、「今の会社の状況だとそんな金は出してくれない」など、ネガティブな批評しかしない人がいます。そういう人には、「では、あなたの提案を伺いましょう」と問いかけます。そうすると、何も提案がない人が結構います。

そのような会議や打ち合わせに臨む時は、事前に自分の提案を考えておくことです。考えてもどうしても良い提案が思い浮かばないというなら、他の人の提案を何とか良いものに仕上げることに貢献しなければなりません。したがって、前述のようなネガティブな発言にはなりようがなく、「今までやったことがないから、それは面白いですね。実施するためには、どういうステップが必要か洗い出してみましょう」といったポジティブな発言になるはずです。今年度の運営計画でディベートというキーワードが出てきましたが、議論によって、より高いレベルの結論を導き出すというのが、ディベートの目的でもありますから、そのような議論の方法を私達も身に付けていきましょう。欧米で日常的に使われるdebateという行為には、相手を論破するなどという目的はなくて、Hegelの言うaufheben（止揚）の考え方が根本にあるのだと思います。つまり、議論を重ねてより高いレベルの結論を導き出すということです。

さて、アイデアに対して、ネガティブな批評をされても落ち込む必要はありません。

“Do not get discouraged by the idea killers”というタイトルの文章を紹介します。

Companies are filled with idea killers. The idea killers come in all personalities, job titles, shapes, and sizes. The idea killers say things such as “we’ve tried that before,” “management won’t buy it,” “we can’t afford it,” and a hundred other anti-risk statements. One of the most common anti-action shots is the insufferable “it won’t work.” This is particularly frustrating because it usually comes from people both senior and experienced in the company. The young people who don’t know that something can’t be done get frustrated. The do-nothings who work at fulfilling their prophecy nourish the status quo.

During the oil embargoes of the 1970’s, and the subsequent pressure to increase the miles-per-gallon efficiencies of cars, one of the major automakers told its senior engineers to drastically reduce the weight of cars. The senior engineers, imprisoned in their old ways, said making lighter cars couldn’t be done, was too expensive, presented safety problems. So the car company hired lots of young, inexperienced engineers. The new engineers took hundreds of pounds of unnecessary weight off their cars. They just didn’t know any better.

Don’t give in. Idea people build businesses. Builders get to the top. Don’t let the idea killers whittle you into mediocrity. Think boldly. Execute enthusiastically. Battle the inertia in the company. A little success will attract contributors and supporters from every corner of the company.

Consider the idea killers as a positive, as an incentive. Treat their negativism as a reason to do more homework. Work harder on the things necessary to make your idea work.

教育上の課題

昨年度下期と今年度上期に教育監査を行いました。各グループから教育に関する課題を挙げてもらっていますが、共通して挙がってくる要望は、次の3点です。

①ローテーションの改善
②グループ（部）内年齢構成のいびつさの改善
③人員不足の改善

①は制度の話なので、集中的に議論すれば、早急に改善策を決定して実行できる課題です。以前から課題として認識されているのですが、いまだに中途半端な議論で終わっていて、改善策が実施されないのは残念なことです。

②については、そもそも採用が少ない年齢層があること、私達の本部が2次交流で人員を補充する行動をとらなかったことが原因なのですが、これを改善するにはいくつかの方法があります。直接的には、社内他部門から人を入れる、中途社員を採用することが考えられます。少人数のグループを統合して問題を緩和できるケースもあるかもしれません。とは言っても、人を増やしたり、組織を統合したりすることは、なかなか難しいのが実情です。教育の観点から

見ると、被教育者と教育指導員の年齢差が大きく、実態として教育指導員が被教育者の相談相手になっていないという問題点があります。ではどうやって改善するかですが、本部の中で、年齢が30代前半の人を世話役として、20代数人の緩やかなグループを作り、勤務時間内外を問わず、情報交換・相談を行うというようなことはできるのではないかと思います。皆さんも、部署やグループの枠にとらわれず、気軽に話ができる仲間を持つことを意識的に実行してはいかがでしょうか。

③の課題は最近ますます問題になっているように思います。しかし、この問題は「人員不足」ではなくて、「時間不足」と捉えるべきだと思います。「人員不足」だけで考えると、「不必要な作業に時間を取られている」「仕事の効率が悪い」などの問題点が浮かび上がってきません。まず、『なぜ、時間不足なのか?』ということについて、皆さん個人個人で考えてみて下さい。「どういうことに時間が取られているか」「その作業は必要か」と考えていくと、改善策が浮かんできます。

「時間不足」の改善策の中には、当然「生産性向上」に結び付く「仕事の効率化」のためのアイデアが出てくると思います。しかしながら、「仕事の効率化」は、我々技術者にとっては悪い面があることも認識しておく必要があります。ベテランの人は、必ず経験があると思いますが、我々には考えをめぐらせたり、無駄になるかもしれないけれど、とことん調査したりする時間が必要なのです。そのような時間的な余裕が無いと、「深い知識が蓄積されない」「品質上の見落としが発生する」などの不具合が生じることになります。「それじゃ、会社でじっくり専門書を読んでいてもいいのか」というと、それは違うと思います。我々は、自分の専門分野のプロフェッショナルですから、専門分野の知識は、個人の時間を使って身に付けておかなければなりません。それが、プロというものです。

殆どの皆さんが「人が足りない」と感じていると思いますが、まず自分自身の仕事の内容を振り返って「時間不足の原因は何か」について考えて、改善していくことが重要だと思います。

ISO9001

当社がISO9001の認証を取得して15年程経ちます。認証を受ける前には、品質マニュアルや各種標準などの文書を整備するのに苦労し、認証取得後は、関係者がISO9001を理解するために、品質管理システムの定着に努めました。そのような継続的な学習効果が実を結び、最近では、ありのままの状態でサーベイランスを受審できるようになりました。1996年にWTOのTBT（Technical Barriers to Trade）協定が発効し、国内で技術規格を制定する際には、国際標準に従うことが要求されています。国際標準に基づいて、WTO加盟各国が規格を統一することは、貿易に関する障害を減らすためにも必要なことであると認識されています。昨年来懸案事項となっているTPP協定（Trans-Pacific Strategic Economic Partnership Agreement）の中には、「国際標準との整合性」に関して、TBT協定と全く同じ条文が規定されています。

私が従事した台湾新幹線プロジェクトは、ODA案件などとは違って、典型的な国際プロジェクトでしたので、品質管理はISO9001に準拠していました。ですから、品質管理の方法は国内でやっていたことと同じで、何も戸惑うことはありませんでした。その時に、「共通のルールに従って行動すれば、様々な商習慣や文化や考え方を持った人々がいても、意思疎通ができて仕事を進められる」という国際標準の効用を体験し、理解することができました。台湾新幹線プロジェクトでは、発注者から年に2回サーベイランスを受審するとともに、Contractorである我々が、Sub-contractorsに対してサーベイランスを実施しました。私はDesign Managerでしたので、設計関係の主要なSub-con5社に対して、それぞれ年に2回サーベイランスを実施していました。このような国際プロジェクトにおける品質管理と比べると、日本の場合は、発注者がサーベイランスを実施することが殆どないですし、そもそもISO9001の認証を取得していない国交省などが発注機関となっているという状態ですから、品質管理システムの面では、国際社会に比べて遅れていると感じます。品質管理システムは、関係各者が同じレベルで取り組まないと本当のメリットは生まれてこないものなので、まだISO9001の認証を取得していない発注機関は早急に取得していただきたいと思います。

ISO9001のねらいは、「購買者に代わって認証機関が製造者の品質管理システムをチェックし、認証を与えることによって、認証取得している製造者の製品を購入する際には、購買者自身が製造者の品質管理システムや製品の品質をチェックする手間が省ける」という点にあります。ＩＳＯ９００１には、このような効用があるはずですが、我々の身近の実務では殆ど活かされていないようです。先日、設計審査をしている時に、「ＰＣ定着システムの低温試験を実施する」という話を聞きました。この種の試験は、他の案件で既に実施していますし、そもそも製造者はＩＳＯ９００１の認証を取得しています。このような場合は、追加の試験を実施する必要はないのだと思います。品質に関わる管理や試験などを実施する際には、関係会社がＩＳＯ９００１の認証を取得しているか否かで対応を変えていかなければならないと思います。また、準拠基準などで、試験頻度などが規定されている場合は、ＩＳＯ９００１の認証を取得しているか否かで対応を変えるような条文を規定する必要があります。

皆さんも、実務において、無駄な品質チェックをしていないかをＩＳＯ９００１の観点からも検討して欲しいと思います。

エマージング・スカラーズ

『１９７８年、カリフォルニア大学バークレイ校で、あるプログラムが始まった。

その頃、アフリカ系とラテン系の学生の微積分の成績がアジア系やユダヤ系の学生に比べて低いことが問題となっていた。当時、同校の博士課程で数学を学んでいたユーリ・トリーズマンは、なぜこんな現象が起きるのかをつきとめるために調査を行った。まずトリーズマンは、数学の成績がトップクラスの中国人学生と最低クラスの黒人学生それぞれ20人ずつを選抜した。そして、彼らが住む学生寮に映画撮影用のカメラを持ち込んで、18カ月間にわたって数学やその勉強方法について会話を交わし、実際に寮や図書館や自宅で勉強している様子を観察したのだ。すると、こんな事実が発見された。中国人学生は、ひとりで勉強するときもあるが、夜になるとクラスメイト同士で集まって一緒に勉強していた。一方、黒人学生はずっとひとりで勉強し、仲間とつきあう時間と勉強の時間を厳密に区別していた。

グループで学べば、問題を解決するテクニックについてのアイデアを交換できるし、授業や学校生活でうまく立ち振る舞うためのヒントも得られる。他人と比べて自分の学力を冷静に判断することもできるし、学習時間も長くなる。そして何より、成功を目指して励まし合う仲間ができるのだ。このようなことに気付いたトリーズマンは、「エマージング・スカラーズ」という名のプログラムを開発した。そのプログラムは、ディスカッション型のクラスで、訓練を受けたティーチングアシスタントが学生達に超難関レベルの問題を出題する。通常の授業よりもはるかに難易度の高い問題に挑むことで、微積分の概念を理解してもらおうという発想である。学生達は3～4人のグループに分けられ、仲間と話し合いながら問題に取り組んでいく。質問しながらお互いに問題への理解を深める。ティーチングアシスタントに助けを求めても、きっかけとなる問いかけをもらうのがせいぜい。学生達の共同作業が、難問を解決する唯一の方法なのである。

エマージング・スカラーズは、驚くような成果を上げた。プログラム開始前の4年間で、微積分の授業を履修した黒人学生のうち、ＡかＢの評価を受けたのは29人だったが、プログラム開始後の４年間では、黒人学生の１０２人がＡかＢの評価を受けたのである。』

アイデアやテクニックを交換する、自分の意見や提案を他人と比べる、そして何より、成功を目指して励まし合う仲間を作るということがもたらすメリットは、ビジネス課題に立ち向かうチームにも参考になります。

我々は設計図書を作成し、客先に説明するという仕事を行っています。設計図書作成にあたって、自分だけではわからないこともあるので、そのような場合は専門家に尋ねて解決しますね。単純な技術的課題ならば、このように簡単に解決できるのですが、今まで経験したことがなかったり、状況が複雑になったりすると、どのように対応したら良いか悩む時があると思います。悩むと時間がとられますし、対応方法が不適切だと無駄な時間を使うことになります。難題に直面したら、できるだけ速やかに対応方針を決めることが、業務を効率的に進めるコツです。

時々皆さんにお願いしていますが、ちょっと手ごわい課題に直面したら、直ぐに上職者、グループ長、あるいは私に気軽に相談してください。自分では気付かなかった対応方法が見つかるかもしれません。

スケジュールの立て方

業務多忙な日々が続いていますが、特に現在は新しい案件が来ても身動きが取れず、十分な対応ができない状態となっています。なんとか年内に予定されている業務を遂行できれば、来年からは健全な状態に戻れるのではないかと思います。

仕事を進めるにあたって最も重要なのはスケジュールを立てることだと思います。別の言い方をすれば、「スケジュールを作れるようになれば一人前」ということです。業務の内容や立場によって、作成するスケジュールは違います。たとえば、２年の設計期間で５人のチームで実施する大規模な設計、短期間で一つの構造物の計算書と図面を作成する業務、構造物の解析業務では、スケジュール作成の時に考慮しなければならない事項も異なりますし、その業務の中で自分が担当する内容によって、スケジュールの立て方は異なります。

ある構造物の設計図書を外注して作成する場合を考えてみましょう。設計スケジュールで最も重要な日は、現場へ図面を発行する日です。材料選定や調達期間を考慮して、その日を決めることがスタートになります。現場へ図面を発行するためには客先の承認を得て決定図としなければなりません。客先打ち合わせにより設計図書の修正があることを想定しておく必要があります。大物の設計図書ならば、客先打ち合わせ回数が増えるので、その期間も見込んでおく必要があります。客先に初めて提出する図書でも、当たり前のことですが、１００％の品質のものでなければなりません。ダブルチェック・設計審査における指摘を踏まえた修正期間が必要です。外注したコンサルから上がってきた設計図書のチェックやコンサルへの修正依頼も必ずあります。また、自分自身の作業時間もスケジューリングする必要があります。その案件の設計図書作成に関係する事項についてはこのような内容になりますが、これらの内容を考えているだけでは、実際に守ることが難しいスケジュールとなってしまいます。

現在の自分自身、あるいは周りの人達を見ればわかりますが、皆さんはそれぞれ複数の案件を同時に進めています。したがって、複数の案件の作業とバランスをとったスケジュールを作成する必要があります。また、どうしても欠かせない会議や部内業務もスケジュールに考慮しなければなりません。そして、新規の仕事に対応する余裕も残しておくことが重要です。大きな案件の場合は、プロジェクトが始まる前に、右記のような事項を十分考慮してスケジュールを作成してください。最初のスケジュールが悪いと設計作業への着手が遅れたり、リソースの配分が間に合わなかったり、といった問題が起こり、挽回するのに非常に苦労します。

一旦、スケジュールを作成したら、その期日は絶対守らなくてはなりません。最近私達の部の中で、スケジュールよりも作業が遅れている案件が複数ありますが、「スケジュールを守る」という意識が希薄であると言わざるを得ません。期日を守るためには、あらゆる手段を使います。それが我々の仕事であるとも言えます。客先打ち合わせで、手間がかかりそうな修正を依頼されそうになれば、打ち合わせの場で出来る限りの説明や交渉をして、後の作業を最小限にするような努力をする必要があります。人に仕事を依頼するときは、アウトプットのイメージと期日を明確にしなければなりません。メールで依頼するときに、期限を書いていない人がいるのには驚きます。「何月何日の何時まで」とはっきり期限を伝える意識がなければ、実行可能なスケジュールを作成することもできません。あらゆる手を打っても、どうしてもスケジュールを守れない状況が予想されることがあります。そのような時は、応援者を要請しますが、応援者の方も急に依頼されても対応できませんから、できるだけ早く、作業内容と応援期間を明確にして依頼することに努めてください。

仕事の無駄を省く

設計部員の仕事の成果は、顧客に提出する設計図書であると言えます。したがって、個人個人の仕事の成果も、その人がどれほどの質・量の設計図書を作成して顧客に納めたかということになります。皆さんには「今日一日、自分はどれだけの量の設計図書を作成したか」を把握して欲しいと思います。自分が直接作成しなくても、自分の責任で外注して作成しているものも含まれますが、コピーするだけの参考資料などは含みません。A4サイズの文書なら1日8ページ、新規図面なら1日1枚というのが、厳しいけれど一つの目標だと思います。この数字に対して、自分のアウトプットが明らかに少ないのに、それでも忙しいと思っている人は、自分のやっている仕事に無駄な作業や時間が含まれているので、その中身を見直す必要があります。「仕事をやっているつもりになっているだけで、実は成果品は少ししかない」ということがないように自分のパフォーマンスを客観的に見て、改善していかなければなりません。

　顧客へ提出する設計図書の中に無駄な資料が含まれていないか、自分が今作成している資料や検討書は本当に必要なのかという点を常に考えて欲しいと思います。プロフェッショナルの主要な要件として、時間をうまく作るということがあると思います。「時は金なり」ということです。メール処理やインターネットでの検索などに無駄な時間を使っていないか各自チェックして下さい。勤務時間中に業務以外のことでパソコンを使わないのは当たり前のことであり、たとえば、インターネットでニュースを読むなどは自宅で行うことです。イントラネットで社内情報をチェックするといった類いのことは、勤務時間中ではなくて休み時間に行うことです。また、打ち合わせで、何人かがその場で考えているようでは時間がいくらあっても足りません。担当者が作った案について、ブラッシュアップするというのが打ち合わせです。会議の効率化のためには、議題について事前に出席者に自分の意見をまとめて書いてきてもらうという方法も会議を効率的に行う方法の一つです。

　家事労働のように、誰にも見られず指図を受けない仕事については、無駄なことをやめたり、時間を短くするための工夫を積極的に行ったりするのですが、会社のように人が集まり上下関係ができる場では、それとは対照的に、「仕事をしているつもり」が高度化して蔓延するという宿命にあるようです。組織が大きくなると、ポストを増やすなどの無駄が増えていき、不必要な仕事を自分の仕事だと勘違いして、そのことに疑問が生じない状態になってしまいます。

そのような本来不必要な仕事に対しては、極力時間をかけずに、簡単に対応する必要があります。社内会議の資料作成のために時間を使っている様子を時々見るのですが、社内会議資料はレジメと結論案のようなメモを作れば、後は既存の資料で対応できるはずです。

「全社一丸となって」「会社の方針」などの権威付けがなされると、無駄な仕事でも定着してしまう危険性があるので注意する必要があります。また、立場が上の人が、無駄な仕事をあたかもそれが自分の立場の仕事のように振る舞う場合も同様に性質が悪いですね。会社ですからある程度は巧く立ち回らないといけませんが、かといって意味のないことに時間を費やしてはいけません。まずは「自分が本来やるべきこと」を見極め、何が無駄かを判断し、たとえ上職者からの指示だとしても無駄なものには極力時間をかけないことが肝要です。

プロの技術者の時間管理

プロとアマの違いは何だと思いますか？　「持っている技量が違う」ということも事実だと思います。しかし、「玄人はだし」という言葉もあるように、趣味を通り越して、商売ができるような技量を持ったアマチュアは各分野にいらっしゃいます。私が「プロとアマの一番大きな違い」と思っているのは「スピード感」です。プロと同程度の技量を持っている人なら、時間をかければプロと同じレベルの成果を生み出すことができると思います。しかし、同じ品質のものをどちらが速く仕上げられるかと言えば、プロの方が速いでしょう。

プロとは、自分のパフォーマンスに対して対価をもらっている人ですから、クライアントと契約して仕事をしています。その契約には通常「いついつまでに」という期限があります。つまり、スケジュールに従って仕事をするのが普通です。そして、一つの仕事に費やす時間を短縮すればするほど、より多くの仕事に対応することができて、稼ぎも多くなるということになります。したがって、プロはいかに速く、スピード感を持って仕事をするかを考えることが習慣になっていて、その点がアマと決定的に違うのだと思います。

こんな当たり前のことを今更なぜ言うのかと思う人がいるかもしれませんが、時々「スピード感」について気になることがあるので、今日の話題にしました。私たちはプロの設計技術者です。したがって、要求される成果品を決められた期限内に、できる限り早く仕上げなければなりません。このことは肝に銘じておく必要があります。最も重要なことは、自分で決めた、あるいは自分が了解したスケジュールを守るということです。時々、予定よりも作業が遅れている状況を聞きますが、余程大きな設計条件の変更などでもない限り、作業スケジュールを遅延させるようではプロとは言えません。少々の変更や変化はスケジュールを立てる際に見込んでおかなければなりません。上司への説明、それにより発生する修正、外注先から受け取る成果品のチェックならびに修正、客先への中間報告等々、作業期間中に遭遇する種々の事象を想定してスケジュールを立てる必要があります。さらに予期できない事態に備えてスケジュールには多少の余裕を見込む必要があります。いったん立てたスケジュールを守るためには、あらゆる手段を講じます。要求を満足させるという条件下で作業量を最小化する、必要なマンパワーを調達する、作業をアウトソーシングする、などです。

「スピード感」は「時間厳守」と同じ意識から生まれると思います。いまだに、予定の時間に遅れる人や期限ぎりぎりにならないと対応しない人がいますが、そういう人を見るとちゃんとプロの仕事ができているのか心配になります。期限が付いた依頼がきたら「誰よりも早く反応する」くらいの意識が重要だと思います。スケジュールに余裕のある仕事の場合は、できるだけ前倒しで仕事を完了させ、いち早く次の仕事に取り掛かるという気構えが必要です。「スピード感」が身に付いた人は、無駄な時間を嫌います。準備なく集まって、その場で考えるような会議や報告だけのために大勢集める会議は無駄の骨頂ですね。無駄な情報を垂れ流すことも慎まなければなりません。その情報を受け取った人が時間を浪費するからです。

無駄な時間を排除できたら、後はいかに頭の回転を速くして行動できるかです。考えているつもりでも、論理的、合理的に考えていないために時間を浪費していることがあります。そのようなことのないように効率的に思考するためには、心身の健康をベースにした集中力や緊張感が必要です。限られた時間をいかに有効に使うかを常に考えて、プロらしい設計技術者となっていただきたいと思います。

対応する案件

建設会社は、プロの技術者の技術力を商品として、社会や顧客の要望に応える人財産業です。したがって、技術者の能力や人数によって、対応できる仕事の内容と量が決まってきます。幅広い分野の技術者がいれば、広い分野の仕事に対応できるし、沢山の技術者がいれば、多くの案件に取り組むことができます。また、個人の技術者の立場で考えてみると、複数の分野に対応できる技術者は、それだけ多種類の案件を担当することができます。皆さんにも、複数の専門分野を持つマルチタレントになっていただきたいので、経験のない構造物の設計を担当して設計技術者としての幅を広げてもらいたいと考えています。

仕事の量に関して設計部の現状はどうかというと、現在契約している案件に対応するだけでも設計技術者が不足している状態となっています。この状態は、来年度いっぱいは続くと思います。その結果、しばらくは、新規の大規模な依頼には対応できないので、マンパワーが多くかかる案件については、依頼があってもお断りせざるを得ないというのが現状です。既に半年ほど前から何回かお客さんの所へ行って、依頼された仕事をお断りしています。私はこのような現状をできるだけ早く打開したいと思っています。我々の技術力に期待していただいている顧客の要望にできるだけ応えるためにも、現在対応している案件を効率よく、短期間で仕上げて、新しい案件に取り組める余裕を作るように、一人ひとりが努力する必要があると思います。

そのためには無駄な時間を使わないというのが一番大きな要素になります。また、このような状態になってみると、案件の選別ということを考えさせられます。設計部としても、日常的に自分たちの価値観を持って案件を峻別していく必要があると思います。我々の使命である「国土の強靭化とエネルギーの安定供給に貢献すること」に合致しているか？　将来に活かせる案件であるか？　など、設計部としての判断が重要だと感じています。

無駄な時間を使う会議

以前から、色々な会議に出席して気になることがありますので、少し紹介します。皆さんの中でも私と同じようなことを感じている人がいると思います。

まず一つは、必要でない出席者が多い会議がよくあるということです。主催者が、関係ありそうな人に声をかけてしまうため、話を聞いているだけの出席者がいるケースです。そのような人が、その会議に出席せずに、生産的な活動をすれば、会社全体としても、かなり業務の効率化がはかれるだろうと思います。

次に、報告だけの会議があります。テーマが違うけれど、出席者が殆ど同じという会議もあります。そのような会議では、実際に手を動かしてその仕事をしている人は一人か二人で、後の出席者は、話を聞いているだけの人達です。そのような会議の出席者達は、聞いた話に対して、少し指示めいたコメントをすることで仕事をしている気になっているようです。担当者は、そのようなコメントは既に考慮済みで、実務には役に立たないのですが、あたかも有り難い言葉をいただいたような振りをして、その場を取り繕うことが多いです。問題なのは、そのようなやり取りが、実際の仕事に殆ど役に立っておらず、出席者の多くが無駄な時間を浪費しているということを自覚していない人がいるということです。なぜ、このようなことが起こってくるかというと、不必要な役職を増やしているからです。「ポストで処遇する」ことはやりやすいので、考えのない幹部はポストを増やしてしまうのですが、無駄なポストを増やすとその組織は必ず衰退していきます。なぜなら、実際に働いていない人を増やし、実際に働いている人に無駄な時間を使わせるからです。

先週、殆ど内容を知らされていない新規案件の取り組み会議に出席しました。近々出件される案件ですが、その工事のスケジュールも何もわかっていない状況での会議で、結局決まったのは、社内の建築と土木の請負金比率、土木の中の支店と本社間の比率だけでした。そんな話なら、会議など開催しなくても、営業担当者同士で5分も話せば案は作れますね。その会議は20名ほど出席したTV会議でしたが、その構造物の設計や施工がわかっている（スケジュール、作業内容、作業体制を想定できる）人は2人だけでした。私は、当然その案件に関するスケジュールなどの情報が入手できていて、取り組み体制などの議論ができるものと思って出席しましたが、全く無駄な会議となりました。

9年ほど前でしたが、「ある案件でドイツ人が来るからともかく出席してくれ」と言われ、会議の中身がわからないまま出席した会議がありました。出席してみると、相手はドイツ人2名で、当社の方は8名でした。しかし、当社の方でしゃべっているのは2人だけで、後の出席者はうすら笑いを浮かべているだけで、何もしゃべりませんでした。相手のドイツ人はさぞかし不気味だったろうなと思いますし、私はとても恥ずかしい思いをしました。そのような会議の場合は、内容のわかっている人が通訳など使わずに英語で話すのが基本です。特にヨーロッパ大陸の国の人々は、「お互いの母国語はしゃべれないので、第三国の言葉である英語で話すのがフェアである」と考えています。

まず、無駄な会議を開催しないこと、そして会議を開催する場合は、会議の主催者は、討議内容を決め、その討議に必要な出席者を人選し、必要な情報を事前に出席者へ配布するといった基本的な作業を怠らないで欲しいと思います。

仕事への取り組み

今月に入って、原子力発電所や新規火力発電所の面白い案件の話があり、何とか他の案件とやりくりをして取り組みたいと思っています。そのような案件に関して社内では「取り組むかどうか」を判断する幹部会議があります。まずは、その会議で「取り組む」という方針を決めるところがスタートです。次のステップでは、「取り組めるかどうか」を検討することになります。営業の人の中には、「取り組む」という方針が出たら、「必ず取り組まなければならない」と思い込んでいる人がいますが、その案件に対応できる体制を作れなければ、取り組むことはできません。したがって、「取り組む」という方針が出たら、設計部のような実施担当部署は、その案件に対応できる体制案を作成することになります。現状では、設計部だけでは、大規模な新規案件には対応できませんので、体制案の作成に当たっては、全社を見渡して人選することになります。その体制案を実現させるためには、支店や関連部門との調整が必要で、営業担当者が中心となって、体制作りの調整を行うことになります。そのような調整が整って初めて、「その案件に取り組める」ということになるのです。皆さんも「取り組む方針が出た」からと言って、それは必ずしも「取り組める」ことではないことを認識しておいて欲しいと思います。

どのような仕事をする時でも、「どうやれば効率を上げられるか」を意識することが重要です。たとえば、皆さんも朝時間がない時に、着替えて、洗面して、食事をして、新聞を読んで、トイレへ行ってなどの行動をどのような順番でやれば時間短縮になるかを無意識のうちに考えて行動しているのではないでしょうか？　仕事でも同じです。どうすれば無駄が省けるかを考えながら行動する習慣をつけることが重要だと思います。会議中に無駄な発言をして出席者全員の時間を奪っていることに気づかない人をよく見かけます。勤務時間中に必要のないインターネットニュースやイントラネットの連絡などを見ている人もいますね。このような無駄な時間を削れば、生産的な行動に使える時間が増えていきます。「あまり効率を重視しすぎると、考える時間がなくなってしまう」という反論が聞こえてきそうです。ただ、私はそうは思いません。物事に集中しているときは、手も動いているし、頭もフル稼働で考えているのです。皆さんも集中して仕事をしている時は、そんな感じでしょう。「考える」というのは、何も難しい顔をして腕を組んでいる状態ではないのです。「文献を読んだりして技術力を高める時間が欲しい」と言う人がいるかもしれません。プロの技術者なら、技術力を高める作業は職場を離れて、プライベートの時間を使って行うのが当たり前だと思います。職場はあくまでも、自分の技術力を発揮する場です。

私達は、スケジュールを立てて仕事をしています。エンジニアリングスケジュールや図書発行スケジュールなどです。「あらゆる手段を使ってこれらのスケジュールを守る」というのが仕事で最も重要なことだと思います。仕事をしていると、予期せぬ出来事も起こり、スケジュールが遅れることがあります。そのような事態も想定して、できる限り前倒しで仕事を進めて、余裕時間を作っておくことも重要になります。スケジュールを立てる時には、実際の作業を思い浮かべて、実現できるスケジュールを作り、そうやって作ったスケジュールは何が何でも死守するという気構えを持っていただきたいと思います。

4

モチベーション

星野リゾート

リゾート再生請負人「星野佳路」の名前は聞いたことがある人も多いと思います。NHK『プロフェッショナル――仕事の流儀』の第1回に登場した人です。2001年に負債総額147億円をかかえて破綻した「リゾナーレ小淵沢」の再建に取り掛かり、3年間で黒字経営に転換させたことで有名です。NHKの番組内容は、『プロフェッショナル　仕事の流儀1』（NHK出版、1000円）に書かれているので、その本を読んだところ、共感するところが多いので、驚きました。そこで、星野社長の企業再生（会社経営？）の根本的な考え方を簡単に紹介します。

まず、経営方針の最終決定を星野社長は行わず、経営会議での意思決定は社員に委ねます。論理的にその意思決定がなされる必要があることは前提ですが、星野社長は、社員の共感を得ることが一番重要だと捉えていて、共感から目標に向かう推進力が生まれると考えています。そして、共感し、施策を推進していくためには、従業員のモチベーションを高めることが非常に重要になりますが、その点について、星野社長は次のように述べています。

「私がここ15年ほどで学んだことの一つは、やはりお金はモチベーションを高めるものにはなりきれないということ。一方、仕事の楽しさはモチベーションアップにつながります。私たちのようなサービス業では、お客様から褒めていただく時が一番楽しく、その機会が増えれば増えるほどやる気が出てくるという、良い循環になってくるものだと感じています」また、「経営にとって正しいということは、社員にとってあまり重要ではない。正しいことよりも楽しいこと、正しいコンセプトや戦略よりも共感してもらえるコンセプトのほうが大事です。『こうなりたい』とか『この方法でやってみたい』と感じてもらうことが重要なんです」とも述べています。

星野佳路さんの言う「楽しさ」を我々の職場の中にも増やしていきたいと思います。

継続は力なり

今週は、『職場の教養』（倫理研究所、２００６年7月号）という雑誌に書いてあった一文を紹介します。

自分の専門分野の勉強、語学や習い事、運動など、皆さんも何かの目的があって継続的に実行しようとしていることがあると思います。強い意志で、なんとか継続させていけば、必ずいいことがあります。実行を大切にしましょう。

「言葉より実行」

人は、分かっていない事柄を分かっているかのように語ることがあります。良寛禅師は、そのことを「立派な言葉は、いつも出しやすい。しかし、道理を身につけて行うことは、いつも実行されにくい。それなのに、できもしない立派な言葉で、その実行されにくい道理を求めている」と戒めています。私たちが、自己の成長を目指して学んでいる教えについても、一つひとつの事柄は、きわめて簡単なことばかりだと錯覚し、知識として知ったことを、あたかもやっているかのように思いがちです。時には他人に語って聞かせることもあります。しかし、自分のものになっていなければ、しょせん借り物の域を脱しません。言えば言うほど、人の耳には空虚な戯言としか響かないのです。意識して立派な言葉をはかなくても、当たり前のことを当たり前にやり続けることに意を向けて、自分を変えることに専念すればよいのです。「継続は力」です。物事を一貫してやり続ける意志力の強化こそ、自己を改革する大きな力となることを自覚していきたいものです。

企業の魅力

先週の金曜日の夜から土曜日にかけて、設計部の旅行会を行いました。温泉一泊の伝統的な社員旅行のスタイルです。年に1回の旅行会ですが、仕事をしているときには見られないリラックスした顔も見られたりして、なかなか面白いですね。来年も万障お繰り合わせの上、是非参加していただきたいと思います。

さて、私は社員のモチベーションを高めることが重要であり、そのための方策をできることから実施していきたいと思っていますが、社員のモチベーションには企業の魅力も影響を与えると言われています。企業の魅力に関連するファクターには、次の八つがあるそうです。

①会社の基盤に対する安心（会社の活動基盤が総合的に安定している）
②理念や戦略への共感（組織が掲げる理念やビジョンに共感できる）
③事業内容への興味（会社の事業活動に意義が感じられる）
④仕事の醍醐味（仕事を通じて社会への貢献を実感できる）
⑤組織風土との合致度（組織内の思考・行動スタイルが自分らしさとマッチする）
⑥人的な魅力（組織内の人が魅力的）
⑦施設や環境（働く環境が快適）
⑧制度や待遇への納得感（評価や待遇が公平かつ適正）

皆さんは、当社あるいは設計部に対して、これらの項目についてどう感じますか？

自己決定する文化

仕事に対するモチベーションを高めるには、周りから認められる状況を作ることが効果的と言われています。そのためには、個人を表に出す文化の創造、失敗を責めない文化の創造、自己決定する文化の創造が必要です。

「個人を表に出す文化の創造」の方策としては、個人の業績と名前を表に出すこと、仕事ぶりや仕事のプロセスの公開、認め合い、ほめ合う文化を育てることなどがあります。コープみやざきの花ヶ島店では、売り場の各コーナーに担当者の名前とともに、仕事の上で心がけていること、自分の趣味や家族のことなどを書いた木製の札が掛けられているそうです。職員も最初はとまどったようですが、だんだん仕事に行くのが楽しみになってきたそうで、その効果の表れか、職員の意識調査をみると全国にある生協の中でも仕事に対する意欲は群を抜いて高く、経営の面でも、苦戦が続く全国の生協の中でコープみやざきはいち早く黒字化することに成功したそうです。私達の部でも、「個人の名前を表に出す」方策を実施していきますので、お楽しみに。

ほめ合う文化づくりには表彰制度も効果的で、本部長が実施されている四半期ＭＩＰ表彰やＯＪＴ発表会での表彰などは、表彰された人達のみならず、本部員の士気を高める効果を発揮することができます。先週ＯＪＴ発表会の懇親会があり、年次ごとに優秀発表者の表彰がありました。表彰された人は素直に喜びの表情でしたし、惜しくも選にもれた人は自分の点数を見て悔しそうな感じでした。それぞれ当事者として参加している意識が表れていて、なかなかいいなと思いました。

失敗学の提唱者である畑村洋太郎さんは『失敗学のすすめ』の中で、失敗者の名前を全て実名で公表し、失敗は隠すものではないという文化をつくることの重要性を説いています。失敗だけではマイナスで終わりますが、その失敗で得られた教訓や情報を公表することで、プラスマイナスゼロまでは持っていけるわけです。「語り継ぐ」の勉強会や不具合の再発防止活動は、モチベーションを高めるという観点からも重要なことだと思います。

「自己決定する文化の創造」の重要性は、よく言われていることですね。何事でも「やらされて」するのと「自分の意思で」するのとでは意欲も満足感も決定的に違います。担当業務や配属先などは個人個人の意思で決めることはできませんが、それでも「自分の意思が反映されている」ように導くことはできないことではありません。仕事だけでなくて、社内レクリエーションや自己啓発などでも、自分自身が当事者として、あるいは意思決定者として取り組むというように、少し意識を変えるだけで、自分自身とともに周りの人々のモチベーションも高める効果があります。

充実感のある日々

一橋大学大学院国際企業戦略研究科の佐山展生教授が「充実感のある日々を送っているか」という観点に関して、沢山のキーワードを挙げている文章に目が留まりました。キーワードには何も解説がありませんが、その中から私が「なるほど」と思ったものを羅列してみます。

- ど真ん中の直球はストライクと判定されているか
- 知らないうちに富士山の山頂に登った人はいない（狙っている者だけが獲物を獲る）
- 新しいことは10人に聞けば9人以上が反対する
- ジャンプする前は精一杯しゃがみこむ
- 「何もないことの幸せ」と「何かあったことの幸せ」
- 「何かいいこと」はない
- 「不作為の意思決定」は容易
- 今ある世界がすべてではない
- 1日24時間は平等
- 能力主義は正規分布ではない
- 優越的地位の濫用は品性の問題

■人生は自作自演、不満の原因は我にあり。人生は待ってたらあかん、自ら切り開こう
■目指し続ければ目標から遠ざかることはない。目指し続けることが大切。
■迷ったら、「とりあえず」やってみる。「とりあえず」が開く新たな世界
■難しい説明は分かっていない証拠
■相手の肩書で態度を変える人、偉い人を知っていると羅列する人は信用できない

私には共感できる言葉が多く、「迷ったら、とりあえずやってみる」などは、学生時代からの私のポリシーです。全体を見て、「身の回りに問題が起こったり、未知の課題に遭遇したりしたときは、自分自身が行動を起こして対応すれば、結構充実した日々が送れるし、新しいことへチャレンジしようという意欲も湧きます。反対に、周りの人々に依存したり、批判したり、発言に右往左往したりしていては、モチベーションは上がりませんよ」という考え方が流れているように思いました。皆さんは、どんな印象を持ったでしょうか？

先入観と好奇心

ある人がビジネスマンを相手に何回か講演した後で、全員にアンケートを取ったところ、半分の人は「内容は大体知っていることばかりだった」と言い、もう半分の人は「なかなか興味

深かった」と答えたそうです。ところが、そのアンケート結果をよく分析してみると、いろいろな講演に出席したり、多くの本を読んだりしている人のほうが「興味深かった」と答え、普段講演などを聞くこともなく読む本の数も少ない人のほうが「すでに知っている」と答える傾向が強かったのです。つまり、好奇心が少ない人ほど、そんなことはもう知っている、と決め付けたがり、一方、好奇心の旺盛な人ほど、新しい情報が従来のものと比べてどこが違うかに着目して、貪欲に吸収していこうとする、と言える結果となったそうです。

もしも他の人が話していることに対して、もう知っている、と決め付けることだけしか頭になかったら、話を聞いても、何のプラスにもなりません。たとえば、お客さんの話を聞いて、これは新しいニーズが生まれている、と考える人と、これはよくあるタイプの話だな、と考えるのでは、対応に大きな違いが生まれます。先入観は思考を閉塞させ、好奇心は思考を活性化させるということでしょう。ただし、いくら好奇心があっても、基本的な知識や専門分野の技術動向などの情報を日頃から積み重ねておかないと、次の展開には結びついていかないと思います。

私事ですが、昨日、娘の卒業式に行ってきました。美術大学ですが、学長が祝辞の中で、「広くて深い教養の上に立って、創作活動を続けて欲しい。また、流行に左右されない創作活動を続けて欲しい」とおっしゃっていました。右記の話と通じるものがあるなと思って聴いていました。キャンパスには、着物姿で嬉しそうな卒業生達と八分咲きの桜の木々があり、春の季節をしみじみと味わうことができました。

上司の魅力、職場の魅力

以前のWeekly Mailで、「企業の魅力」に関する八つのファクターを紹介しました。今日は、その続きで「上司の魅力」と「職場の魅力」に関するファクターを紹介します。まず「上司の魅力」に関する四つのファクターです。

①情報提供
市場や顧客などの外部環境に関する情報、戦略や目標などの内部情報を、明確に「自分の言葉」で語ってくれるか。

②情報収集
内外環境の情報収集はもちろん、それを踏まえて自分の課題や問題、仕事内容や取り組み状況をしっかりと把握してくれているか。

③判断行動
上司の父性的な行動に関するファクター。上司が判断基準を明示して、公平で適正な評価を下しているか。また、上司の言動が基準に即しているかどうか。

④動機形成
上司の母性的な行動に関するファクター。動機付けに心を配ってくれているか。メンバー

の参画感を引き出し、自身の価値や個性を見出してくれているか。

次に、「職場の魅力」に関するファクターを四つ紹介します。

①顧客接続

職場が外界に開かれているかどうか。具体的には、顧客や隣接部署への対応を優先する体質があるかどうか。

②目標達成

目標達成に向けて、職場の全員が全力を投じているか。目標を達成するための取り組みが徹底されているかどうか。

③意欲相乗

お互いの意欲を喚起し合える職場かどうか。職場のメンバー同士が連携よく仕事をしており、意欲を引き出し合いながら交流機会が持てているかどうか。

④業務効果

職場全体が手際よく効率的に業務を進め、効果を追求しているかどうか。時間的な計画性だけではなく、仕事の成果を高めるノウハウや知識を共有する機会や仕組みがあるかどうか。

さっと読むと言葉の羅列かもしれませんが、それぞれの項目に具体例を当てはめて考えると改善点が見えてくることがあります。

一般的に、上司と部下の間には認識のずれがあります。前記の項目に関して、皆さんはどのファクターに不満を持っているでしょうか？　その不満の原因を正しく認識して、対策をとることがモチベーションアップには必要なことだと思います。そのためには、まずはリーダーがメンバーの声に耳を傾けることが重要です。

成功する人失敗する人

このWeekly Mailのねらいは、もちろん「一人ひとりがProfessional」という設計部のビジョンへ向かうためのモチベーションアップということがあるのですが、それ以前に、日常業務とは別の視点から皆さんの心を刺激して、少しでも活力につながればという思いがあります。私の方もその時々で思ったことを気楽に書いていますので、皆さんも気楽に読み流していただいて構いません。そんな中で、何か感じるものをつかんでいただければ、それで私の目的は達成したことになります。時々、メールで返信をいただきますが、これも気軽に感じたことを返信していただいて結構ですので、引き続きよろしくお願いします。
さて、今日は、大和ハウス工業会長兼ＣＥＯの樋口武男さんが常に携行している「成功する人の十二カ条　失敗する人の十二カ条」を紹介します。各条の初めの文章が「成功する人」、カッコ内が「失敗する人」です。

1　人間的成長を求め続ける（現状に甘え逃げる）
2　自信と誇りを持つ（愚痴っぽく言い訳ばかり）
3　常に明確な目標を指向（目標が漠然としている）
4　他人の幸福に役立ちたい（自分が傷つくことは回避）
5　良い自己訓練を習慣化（気まぐれで場当たり的）
6　失敗も成功につなげる（失敗を恐れて何もしない）
7　今ここに１００％全力投球（どんどん先延ばしにする）
8　自己投資を続ける（途中で投げ出す）
9　何事も信じ行動する（不信感で行動できず）
10　時間を有効に活用（時間を主体的に創らない）
11　できる方法を考える（できない理由が先に出る）
12　可能性に挑戦しつづける（不可能だ無理だと考える）

それぞれ思い当たることがありますね。皆さんは何項目が「成功する人」だったでしょうか？　このような自分用の指針を作っておくと、何かに迷った時などの推進力になるかもしれません。

モチベーション低下問題

今週は、小笹芳央さんという方が書いた文章を紹介します。小笹さんは、元リクルートの人事コンサルティング室長であり、現在は「モチベーションエンジニアリング」という独自の技術で企業の変革をサポートする経営コンサルタント会社の社長を務めています（『モチベーション・マネジメント』著者）。

『企業社会において、今ほど働く人々のモチベーション低下問題がクローズアップされる時代はなかった。戦後の復興期は「業界」が、そして高度経済成長期には「企業」という単位がそれぞれ主役となって、日本経済を牽引してきたが、これからの主役は「個人」である。ＩＴ化、ソフト化という時代の流れを考えれば、「個人が創造する価値」は企業にとって計り知れない影響力を持つ時代になっているからだ。これからは、個人の能力を高め、意欲を刺激する技術をいかに磨くかが、企業経営のコアテーマとなる。

ところが、企業側のマネジメント技術がその現実に追いついていない。相変わらず、「金」や「ポスト」を武器にすれば、万人のやる気を刺激できると考えている経営者は多い。そして成果主義を徹底して統制を強めようとしてはいるものの、一向に望ましい成果が得られず迷走しているのが実情だろう。どうしても、「集団中心主義」や「制裁力」を背景にした「金・ポスト中心主義」という過去の慣性から抜けられず、個々人の個性や才能を押さえつけるようなやり方に固執してしまう。その結果として、「やらされ感」や「あきらめ感」を組織に蔓延させる状態を招いてしまっているのである。

ここ数年は、「人材こそ企業経営にとって最大のコストである」という見方が支配的であった。たしかに、放漫経営に陥っていた一部の企業と「寄らば大樹」という気持ちの社員がもたれ合う状態が続いたことで、人材＝最大のコスト、という図式を生み出し、コスト削減＝リストラ、という風潮が強まったことは頷ける。しかし、私は一人の経営者として、そしてこの領域の専門家として、まったく反対の立場をとる。それは、「人材こそ企業経営にとって、最大最強の資源であり、その資源の獲得能力と活用能力が真の競争優位性を築く」という信念である。

今、企業の中で起こっているモチベーション問題は、働く環境の激変、戦後初めて経験するくらいの大きな世代間ギャップが根源となっている。いつの時代にも「成長したい」「役に立ちたい」「自分の存在感を確認したい」という気持ちは個々人の中に存在している。そういう前向きな気持ちに灯をともし、生き甲斐、働き甲斐を充足させる方法論が時代によって大きく変わるだけなのだ。つまり、「社員にやる気がない」のではなく「社員のやる気に火をつける方法を知らない」だけなのである。』

このような視点は、既に多くの経営コンサルタントが指摘していることで、広く一般に流布しています。では、具体的にどのようなアクションをとればよいかをきっちり考えて実施するかどうかが、企業がステップアップできるか否か、改革を実現できるか否かの分岐点となっていると思います。

セルフトーク

今回は、ティモシー・ガルウェイ（Timothy Gallwey）という人のエピソードから紹介します。ガルウェイはハーバード大学でテニス部主将として活躍したのち、大学院で学習法の研究をしていた人物です。副業として、テニスのコーチもしていました。

ガルウェイは、自分自身に話しかけ、叱責し、支配している声の主を「セルフ1」と名づけ、その命令によってボールを打つ存在を「セルフ2」と名づけました。ガルウェイは、テニスのコーチとして、プレーヤーを観察し続けた結果、「自分自身をコントロールし、評価しようとするセルフ1の口数が少ないほど、実際のプレーがよくなること」を明らかにしました。そして研究を進めるうちに、コーチの最も重要な仕事は、プレーヤーの欠点を指摘することではなく、いかにしてプレーヤーのセルフ1を静かにさせ、偉大な潜在能力を持つセルフ2を自由に成長させるかである、という結論に至りました。

コーチから「もっとよくボールを見て！」「もっと足を動かして！」「スイングが手打ちに

なってる！　注意して！」などの指導を受けて、いちいち考えていたのでは、まともなスイングができるはずもありません。ゴルフでも同じような指導は、よく耳にしますね。ガルウェイは、このような指導を受けていた初心者のプレーヤーがなかなかうまくボールを打てないのを見て、「今から僕がボールをトスするから、ボールが最後にバウンドしたあとに、縫い目をよく見て、どういう回転をしてくるか、僕に教えてくれないか？　打つことについて特に考えなくていい」と指導したそうです。すると、そのプレーヤーは驚くほど滑らかな動きでボールをラケットの真ん中に当て、相手のコートに返すことができました。この初心者プレーヤーは、ガルウェイの問いに答えようとすることで、ボールの回転だけに集中でき、セルフ1によって生み出されていた様々な束縛（プレッシャーや焦り）が消えたわけです。

自分が無意識のうちに生まれるネガティブなセルフトーク「セルフ1」をできるだけ少なくするような自己コントロールが必要であることを、このエピソードは教えてくれます。また、右記のテニスコーチの例にもあるように、周りからの声が「セルフ1」と同様の悪影響を与えるので注意が必要です。上司が、本質的なアドバイスをせずに、枝葉末節の指摘ばかりしていたのでは、部下は思うようには実力を発揮できなくなるのです。

このようなネガティブなセルフトークを少なくするためには、自分自身が絶対的な「よりどころ」を持っていることが重要だと言われています。たとえば、「自分は○○分野のプロフェッショナルになる」といったビジョンや「プロフェッショナルとして社会に貢献すること」を最優先の価値観とするといった信念をしっかり持つことだと思います。少々我田引水ではありますが、私達の部が掲げる「一人ひとりがProfessional」というビジョンは、まさにネガティブなセルフトークを少なくする効果を発揮できるのだと思います。このビジョンを自分自身のビジョンとして受け止めて、定着していけば、「緊張や不安に負けない」「自分を思うようにコントロールできる」「自分の実力を常に発揮できる」という状態が実現できるのだろうと期待しています。

心の糧七ヶ条

先週のシルバーウィークは、皆さんどのように過ごしましたか？　私は、娘が「一度も京都へ行っていない」と言うので、『そうだ、京都行こう』ということで、家族と京都の名所を回ってきました。外国人が多かったですね。二条城ではブラジル人ツアー客も見かけました。金閣寺の中の庵を見て、「家畜小屋みたいだ」と言っているドイツ人の若者がいて、そう言えば『日本の家はウサギ小屋みたいだ』という欧米人のレポートがあったことを思い出しました。京都の名所は、それぞれの場所に独特の風情があり、何度行ってもいいですね。そんな中、嵯峨野の二尊院で「心の糧七ヶ条」なるものが目に付いたので、今回はそれを紹介しましょう。

「心の糧七ヶ条」
一、この世の中で一番楽しく立派なことは生涯を貫く仕事を持つことである
一、この世の中で一番さみしいことは自分のする仕事のないことである
一、この世の中で一番尊いことは人のために奉仕して決して恩に着せないことである
一、この世の中で一番みにくいことは他人の生活をうらやむことである
一、この世の中で一番みじめなことは教養のないことである
一、この世の中で一番恥であり悲しいことはうそをつくことである
一、この世の中で一番素晴らしいことは常に感謝の念を忘れず報恩の道を歩むことである

私の心にまず触れたのは、「生涯を貫く仕事を持つ」という言葉です。まさに、自分の専門分野を定めて、プロフェッショナルとして活動することがこの言葉に対応しているのだと思いました。当たり前のことですが、組織の役職に付随した仕事では「生涯を貫く仕事」にはなりません。我々はエンジニアですから、「一人ひとりがProfessional」としてできる限り長く活動をすることにより、楽しい人生を送り、立派な業績を残したいものだと思います。

右記の七ヶ条が、少しでも皆さんの心の糧になれば幸いです。

メンタルヘルス

横浜労災病院メンタルヘルスセンターの山本晴義先生は、国の事業の位置付けで、メンタルヘルスについて「メール無料相談」を行っているそうです。メールの総数は、何と年に6000通以上。その全てに対して山本先生本人が読んで24時間以内に必ず返信を出すということです。相談のメールですから、相手の言っていることを理解し、おかれている状況を推測した上で、適切な返事を出す必要があります。したがって、一通一通の内容が違いますし、それぞれの返信には時間がかかることが想像できます。相談メールについては山本先生が本業の合間をぬって対応していることですが、どうやってその時間を確保しているのか驚くほかないのです。

山本先生が「必ず24時間以内に返信する」というモチベーションをなぜ保っていられるかを理解できる先生の言葉があります。「たとえば金曜日に入ったメールへの返答を出すのを週明けに延ばしてしまったら、メールを出してきた人は、週末に自殺をしているかもしれない。だからこそ、すぐに返信を出さなければならない」と。

さらに山本先生は、「メールは、返信を出さない限り相手は無視されたと感じる。これがメンタルヘルスの基本なのです」とおっしゃいます。なるほどと思い当たりませんか？　加えて、働く人にとってのメンタルヘルスとは、

①周囲と良い関係ができている
②周囲の人達に役に立っている
③仕事など日々の活動に生きがいを感じる
④自分の存在意義を感じる

で、特に②、④が重要であるとのことです。こちらも、大いに納得できることですね。働く人のメンタルヘルスは、見た目と中身のギャップに注意する必要があります。

①自分では周囲と良い関係ができている、と思っているがそうではない
②周囲の人達に役に立っている、と思っているがそうではない

などです。

山本先生の話では、最近のIT系企業のように、社員が客先に継続派遣されていて上司とのフェイス・トゥー・フェイスのコンタクトが殆どない状況は、非常に心配であるとのことです。接点のある人達からの反応、特に上司からのリアクションは、メンタルヘルスの上でも重要な要素であることを再認識しました。

励ましの英語表現

今回は励ますときの英語を紹介しましょう。まずは、落ち込んだ時に自分を励ます表現です。

■ I did my best.　ベストは尽くした。
■ I did all I could.　やれることはやった。
■ Tomorrow is a new day.　明日は明日の風が吹く。
■ It's my life.　私の人生だ。
■ I can be proud of myself.　自分を誇りに思える。

次に、歴史上の人物や有名人が言った励ましの言葉をいくつか紹介します。

■ Do what you can, with what you have, where you are. (Theodore Roosevelt)　あなたができることを、あなたの持っているもので、あなたのいるところでやりなさい。
■ Concentration is my moto—first honesty, then industry, then concentration. (Andrew Carnegie)　集中が私のモットーだ。最初に正直、次に勤勉、そして集中だ。
■ Motivation is everything. (Lee Iacocca)　やる気がすべてだ。

■Your most unhappy customers are your greatest source of learning. (Bill Gates)　一番不満のある顧客が、勉強の最良の源になる。

■I have not failed. I have just found 10,000 ways that won’t work. (Thomas Edison)　私は失敗したわけではない。役に立たなかった一万のやり方を発見しただけのことだ。

■Try not to become a man of success, but rather try to become a man of value. (Albert Einstein)　成功する人になろうとするな。それよりも、価値のある人になるようにしなさい。

■I can accept failure, but I can’t accept not trying. (Michael Jordan)　私は失敗は受け入れられるが、試みないことは受け入れられない。

■I’m trying as hard as I can, and sometimes things don’t go your way, and that’s the way things go. (Tiger Woods)　私はできる限りのことをしている。自分の思い通りにはいかないこともあり、物事はそういうものだ。

■As long as the mind can envision the fact that you can do something, you can do it. (Arnold Schwarzenegger)　気持ちの上で、やれるということを想像できる限り、やれるんだ。

■I love what I do. I take a great pride in what I do. (Tom Cruise)　自分のしていることが大好きだし、自分のしていることに、誇りを持っている。

■If I feel incompetent I will think of past success. If I feel insignificant I will remember my goals. (Og Mandino)　できないと感じたら、過去の成功のことを考えよう。意味がないと感じたら、自分の目標を思い出そう。

日本語と英語では、同じ気持ちを伝える場合でも表現がだいぶ違いますね。英語を直訳したような日本語には違和感がありますが、それでも徐々に使われていくと、そのうちに、日本語の表現として認知されていくのだと思います。参考になるものがあれば、日本語でもいいから使ってみてはいかがでしょうか？　また、自分のオリジナルの言葉で周りの人を、あるいは自分自身を励ませたらいいですね。

楽しく仕事をする

1月4日の昼礼の時に少し話しましたが、今年は特に「楽しく」仕事をすることを心がけていただきたいと思います。昨年は、「明るく、楽しく」と言いましたが、考え方は基本的に変わっていません。そのことについて、私が考えていることを説明しておきましょう。

言うまでもありませんが、発注者に引き渡す構造物や技術的な図書が当社の商品です。場合によっては、我々自身が商品になることもあります。分かりやすく、設計部に限定して話を進めましょう。設計部が提供する商品の品質は、それを作成している我々に依存しています。品質を左右するものには、作成者の技術力だけではなく、時間的な余裕や精神的な余裕、体調もあると思います。技術力は客観的なものですが、「やる気」の状態によっては、持てる限りの技術力をフルに発揮できたり、あるいは技術力を十分に発揮できなかったりという違いが出てきます。私は、この「やる気」をできる限り多く引き出す方策を色々な側面から実施したいと考えています。先週、「新年の挨拶」としてホームページで述べたことの中に社外委員会への参加の話がありますが、これも一つの方策です。そして、「楽しく」仕事をすることも重要な方策だと考えています。

新年の幹部の挨拶などでよく耳にするのは、「会社を取り巻く環境は厳しい」、「この難局を乗り切るために、総合力を結集し、三位一体となって頑張ろう」という内容の話です。このような話を聞いても「やる気」は起こりません。環境が厳しいことなど百も承知ですし、頑張っている人に対して「頑張りましょう」と言ってもピンとこないのです。もう少し、正確に言えば、「厳しい」と言った上に、「頑張れ」と追い討ちをかけるような発言を上司にされると、「やる気」は後退していきます。つまり、マイナス効果なのです。このような発言を聞くたびに、もう少し現場の状況を理解した発言をしていただきたいと常々思っています。

さて、「楽しく」仕事をするというのは、上辺だけが楽しいという意味ではありません。プロフェッショナルの技術者として、「この仕事から新しい知見が得られて面白い」、「自分の専門技術を生かせてやりがいがある」といった楽しさです。楽しい状態で仕事ができれば精神状態がポジティブになり、色々なところに目配りできる余裕が生まれる、時間を効率的に使える、ますます責任感が湧いてくる、周りの人も楽しくさせる、などなど、色々な効果が表れ、その結果として、提出物の質が向上するし、技術の蓄積や対外的なアピール（論文発表など）へと繋がっていきます。

では、「楽しく」仕事をするためには、自分は何をすればよいかということですね。言うまでもなく、これには二つの方向があります。一つは、自分が楽しく仕事をすること、もう一つは、周りの人が楽しく仕事をすること、そのそれぞれについて、自分が行動することになります。「自分が楽しく仕事をすること」を実現させる王道は、繰り返し言っていることですが「自分が決めた専門分野のプロフェッショナルとして認められること」だと思います。社外委員会への参加なども、これを実現させるための方策の一つです。ただし、個人個人の性格もありますから、皆一律というわけにはいきません。一人ひとりに相応しい方策があるのだと思います。もう一つの「周りの人が楽しく仕事をすること」に関してですが、部下を持つ人にお願いがあります。それは、「小さなことでもいいから部下に成功体験をさせて欲しい」ということです。たとえば、部下が提案したものを積極的に採用する、業務に関連した情報（参考文献、過去の検討など）を説明する、部下が作成した書類の良い点を褒める、客先への説明が良かったら褒める、客先や現場から感謝されたら部下を褒める、などの一つひとつの小さな成功体験の積み重ねが「楽しく」仕事ができることに繋がっていきます。「念願の案件を受注した」ということは非常に嬉しいことですが、それだけでは「やる気」に火をつけることは難しいと思います。日頃からの、部下の目線に立った上司の一言や小さな成功体験の積み重ねが、「楽しく」仕事ができる組織を作り、その結果、品質の高い商品を生み出すことができるのだと思います。

アファメーション

今週末からは盆休みですね。仕事の関係で出社する人もいますが、まとまった休みですので、普段できないことをやったりして、リフレッシュしていただきたいと思います。また、盆休みのようなまとまった休みというのは、自分自身が今後何をしていくかを考え、チャレンジしていくことの計画を立て、スタートする良い機会でもあります。

このWeekly Mailでも「やる気を起こす」「モチベーションアップ」などの言葉をよく使っていますが、自分自身の気持ちを奮い立たせる方法の一つに「自己暗示」や「セルフコントロール」があります。自己暗示というと現実から離れた世界のように聞こえるかもしれませんが、自分の潜在意識に問いかける科学的な方法で、結構広く使われている方法です。その中には多種多様な方法があるようですが、今日は今話題になっている「アファメーション」について、エッセンスを簡単にご紹介しましょう。

アファメーション（affirmation）とは、「潜在意識を安心させて、新しい自分に成長することに協力してもらうための言葉」と説明されています。どのような言葉だと効果的に活用できるかということですが、そこには次の四つの原則があります。

(1)「肯定形」で表現すること

(2)「現在形」で表現すること
(3)「一人称」で表現すること
(4)「具体的」に表現すること

これらの要素を取り入れたアファメーションを作り、実行するのですが、英語で表現するのが簡単だと言われています。なぜなら、英語そのものにこれらの要素がすでに織り込まれているからだそうです。

以下に一般的な英語「アファメーション」の例を紹介しましょう。これらのアファメーションを一日2回、感情をこめて、ネイティブになりきって、声に出して読んでみます。夜眠る前と朝目覚めてすぐにやるのが一番効果的だそうです。自分なりの英文を作ってみるのも面白そうですね。

(a) I am happy.（私は幸せだ。）
(b) I'm willing to help people to be happy.（私は、皆が幸せになるのを手助けしてあげる。）
(c) I deserve to be happy.（私には、幸せになる価値がある。）
(d) I'm so happy that I can realize my wishes.（私は、自分の望みを叶えることができるほど幸せだ。）
(e) I have numerous ideas to realize my wishes.（私には、望みを叶えるためのアイデアが沢山

ある。）

(f) I'm increasing my ability to realize my wishes.（私は、望みを叶えるための力を積み上げている。）

(g) I'm determined to realize my wishes.（私は、断じて望みを叶える。）

同僚たちへの声掛け

やる気が起これば、人は2倍以上の仕事量をこなせる場合があることは、皆さん自身も経験があると思います。社員のやる気が起これば起こるほど、仕事の効率が改善されていくわけですから、経営コンサルタントが、「社員のモチベーションアップ」についてアドバイスするのは当然ですね。では、どうすれば人はやる気が起きるか？　色々な方法がありますが、他者から認められるという欲求を満たすことが一つの重要なポイントになります。以前 Weekly Mail でも紹介したマズローの欲求五段階説の第四段階ですね。プロフェッショナルの技術者として社外の人々から認められることが最も効果的だと思いますが、私達が作業をしている職場の中でも「やる気を引き出す」効果的な方法があります。お互いが他者を認めるような職場の雰囲気を作れば、その職場は活気づき、皆のやる気を増長させることができることになります。そのような職場の雰囲気を作るためには、一人ひとりが意識的に行動を変える必要があります。

一つの効果的な方法として、同僚たちへの日常的な声掛けがあります。この点は、万国共通ですので、アメリカの例を紹介しましょう。

People who feel good about themselves and their jobs will contribute at high levels. If they work for you, with you, or near you, they will propel you in front of them. Saying nice things to people makes them feel good. But you must be absolutely sincere. Practice and remember to say the following:

1. “Please.”
2. “Thank you.” (A good manager has cause to say “thank you” twenty times a day.)
3. “That was a first-class job you did.”
4. “I appreciate your effort.”
5. “I hear nothing but good words about you.”
6. “I am glad you are on the team.”
7. “I need your help.”
8. “You certainly earned and deserve this.”
9. “Congratulations.”

海外で仕事をした経験のある人は思い当たることがあると思いますが、外国人に対しては確かに当たり前のように話している言葉ですね。だけど、皆さんも照れることなく、是非少しずつ実践してみてください。このような声掛けをしていると、言われた人がhappyになって、やる気を出すだけではなくて、声掛けした皆さん自身の気持ちがポジティブに変化していくのを体感できると思います。

最適な心境に導く言葉

日本では、「頑張れ」と言うところを、アメリカでは"Have fun!"とか、"Take it easy!"などの表現を使います。アメリカのマラソンの応援では、日本とは違った様々な掛け声を聞くことができるそうです。"Relax!"（力を抜いて）、"Keep on going!"（その調子）、"Enjoy!"（楽しんで）、"Good run!"（いい走り）、"Here we go!"（いいぞ）、"Great job!"（とってもすごい）、などなど。沿道の人達は、こうした表現で選手を応援することで、選手と一緒にマラソンを楽しんでいるのです。

この「楽しむ」という表現は、日本人でもオリンピック選手のインタビューなどでよく耳にするようになりました。水泳の千葉すずさんが、メダルを期待されて出場したアトランタオリンピック（１９９６年）で惨敗した直後に、「メダルはどうでもいい。オリンピックを楽しみたい」と発言して、日本中からバッシングを浴びました。どのような状況にあっても、自分が好きなスポーツをとことん楽しむことが、大舞台で実力を最高に発揮するのに最適な心境であるのは、欧米の選手達の発言からも明らかなのですが、その当時は、日本人の感覚がまだそこまで成熟していなかったのだろうと思います。

それから4年後のシドニーオリンピックでは、高橋尚子選手がマラソンで金メダルを獲得しました。ゴール直後のインタビューで高橋選手は、「すごく楽しい42キロでした」と語っています。２００４年のアテネオリンピックの男子水泳２００ｍバタフライで見事に銀メダルを獲得した山本貴司選手は、「妻（千葉すずさん）には、楽しんでおいでと言われました」と笑顔で語っていたのが印象的でした。同じく水泳１００ｍ平泳ぎの金メダリストの北島康介選手は、「気持ちいい。チョー気持ちいい」と全身で喜びを表現したのは有名ですね。また、アテネオリンピックでメダルを獲得した日本人選手の多くが、異口同音に「おかげさま」という言葉で気持ちを表しました。「たくさんの方の応援と、その応援を力に変えることができました」と柔道の谷亮子選手。また、同じ柔道の谷本歩実選手は「周りの人がサポートしてくれたおかげです」。マラソンの野口みずき選手は「大観衆の声援を自分のものにできてすごくうれしかった」という言葉を残しました。

このようにスポーツ界では、「頑張れ」という言葉から「楽しむ」とか「感謝」を表す言葉へと変化しています。これに対して、我々の身の回りを見ていると、挨拶などの言葉の中に依然として「頑張りましょう」「頑張って下さい」という表現が多く聞かれます。頑張っている人に「頑張って下さい」と声をかけることは、マイナスの効果しかないことはよく知られていることですが、長年使われてきた言葉が変わっていくためには時間がかかるようです。高度経済成長時代の1971年に登場した「がんばらなくっちゃ」という流行語ですが、決まり文句のように使われてきたこの「頑張れ」ではなくて、様々な言葉を駆使することで、相手の意欲を高めることができます。1996年、丸紅の鳥海巌社長（当時）は、年頭の挨拶で次のように言っています。「日本人は、本来まじめだ。『頑張る』と思わないでも、自然に頑張ってしまう。『頑張る』というと、かえってプレッシャーを受け、固くなって実力を発揮できず、はかばかしい結果を得られないことが多い。社員諸君、『頑張る』と口に出すな……（中略）あなた方はプロなのだから、自分の仕事をエンジョイしながらやれ」

15年ほど前に、既にこのような点に目を付けて発言している経営者がいたということは注目に値します。私達も、自分の専門分野のプロフェッショナルとして社内外から認められ、楽しみながら仕事をして、どんどんレベルアップしていきたいと思います。昨年度から設計部のモットーとして言っていますが、仕事は、まず「明るく楽しくやる」ことが基本です。そのためには、自分が何をすればよいかを考えて、実行していきましょう。

言葉の力

8月に柔道の世界選手権がリオデジャネイロで開催されて、60キロ級では高藤直寿選手が、66キロ級では海老沼匡選手が、73キロ級では大野将平選手がそれぞれ見事金メダルを獲得し、柔道日本の復活を感じさせる快挙となりました。この素晴らしい結果の背景には、新任の井上康生監督の「言葉の力」があったと言います。

井上監督がそれぞれの選手に語った言葉としては、高藤選手には「勝つために来たんだろ。俺の監督最初の世界チャンピオンになってくれ。約束だぞ」、海老沼選手には「お前は世界一になるにふさわしい人間だ。誰よりも努力し、誰よりもひたむきにやってきた。自信を持て」、大野選手には「お前の時代だから必ず王者になるぞ」などが伝えられています。井上監督はイギリスで2年間の指導者教育を受け、その成果を生かして、対話を通じて選手に自信を与える言葉を送り続けているそうです。指導者のこのようなひと言が選手に自信を与え、奮い立たせ、その結果、練習の成果が上がり、大舞台で実力を十分発揮できるようになっていくのだと思います。

井上監督の言葉は、単に口先だけで褒めているのではありません。まず、選手たちに夢を与えています。夢があるとそれに向かって突き進む意志が芽生えるし、誇りも生まれます。次に、選手の熱意を評価しています。熱意を評価されれば、人は努力を惜しまなくなります。逆に、熱意がなければ成功はありません。金メダルを取った選手たちは、もちろん優れた潜在能力を持っていると思いますが、井上監督は、日頃の練習などを見て、それぞれの選手の特徴を把握して、うまく能力を引き出す声掛けをしていることがうかがえます。

どのような組織においても、構成員のやる気を引き出すことが重要です。そのためには、井上監督が実践しているように、日常的に効果的な言葉をかけることが上職者や教育指導員には必要だと思います。部下に対して小言や皮肉のようなことばかり言ったり、褒めている言葉も口先だけで真心がこもっていなかったりするようでは、部下のやる気は下がる一方です。設計部の仕事は、技術図書を作成し、プロの技術者として依頼者に説明し、納得してもらうことだと言えます。経営者や上職者は、最先端でエンジンとなって会社の商品を生み出している仲間に対して感謝の念を持つことが必要です。「このような成果を挙げられたのは担当した社員のお蔭です」と心から言えるリーダーを持つ組織は、メンバーのモチベーションが上がり、能力を十分に発揮することができて、その結果、ビジョンの実現に近づいていけるのだと思います。

選手・監督・コーチが「柔道日本の復活」という共通の夢（ビジョン）を持ち、それを達成してくれるのは選手達であるという認識のもと、監督・コーチが選手の能力を最大限に引き出すための「言葉の力」を活用するということは、私たちの組織にも同様に適用できることだと思います。設計部の皆さんには、「設計部員一人ひとりがProfessionalとして、社外で認められ、活躍している」という姿を思い描いて、そのビジョンに向かって、技術者としての研鑽を積み、部下の指導に当たっていただきたいと思います。

土木技術者の使命

イソップ寓話の中に「3人のレンガ職人」という話があります。経営コンサルなどがよく題材に使う話なので、ご存じの方も多いと思います。ざっと、次のような話です。

『中世ヨーロッパのとある町で、大聖堂の建築が行われていました。そこへ旅人が通りかかり、一人の職人に「何をしているのですか?」と尋ねました。すると、その職人は不機嫌そうに「ただレンガを積んでいるだけ。つまらない仕事さ。」と答えました。次に別の職人にも「何をしているのですか?」と尋ねてみました。すると、2人目の職人は「強い頑丈な壁を作っているのさ。」と答えました。また、別の職人にも「何をしているのですか?」と尋ねてみました。すると、3人目の職人はにこやかに胸を張って「街中の人が喜ぶ大聖堂を造っているんだ。自分が亡くなってからも、子供や孫達が私の仕事を誇りにしてくれると思う。」と答えました』

土木技術者の使命とは「人々が安全に安心して生活や事業活動ができる環境を提供すること」です。そして、設計部の運営方針(使命)は、それをbreak downして「国土の強靭化とエネルギーの安定供給に貢献すること」と定めました。設計部の皆さんには、自分が今担当している構造物が完成すると、国土の強靭化、あるいは、エネルギーの安定供給にどのように貢献するかを、是非、定量的に語っていただきたいと思います。たとえば、昨年完成した東京ガス扇島工場のTL22タンクですが、タンク一杯分である25万kLのLNG(液化天然ガス)は36万世帯が一年間に使用するガスの量に匹敵するそうです。年間に何度もLNGを受け入れ、払い出しすることで、エネルギーの安定供給に貢献できることがわかります。

さて、今月は16日にＯＪＴ発表会が、29日に業務発表会があります。そういう場で自分の仕事を紹介する時には、「その構造物が完成すると世の中にどのような便益をもたらすか」ということを定量的に説明していただきたいと思います。また、「どんな仕事をしているのですか？」と問われた時には、担当している仕事の発注者名や請負金額、構造物の種類を説明するだけではなくて、構造物がもたらす便益についても是非語っていただきたいと思います。

なぜ、私がこんなことを繰り返し言うかといえば、３人目のレンガ職人のように使命感を持って仕事に当たれば、自分自身のモチベーションが上がり、自分の周りの人々にもその影響が波及し、ひいては会社が真の一流企業にステップアップできると思うからです。ホンダは、世界中の人が知っている有名な会社です。しかし、創業してからしばらくは、会社の幹部達は「どうやって儲けるか」ということばかり考えていたそうです。そして、ある程度の会社規模になった時に、「ホンダはどんな会社になりたいか」ということについて考え、そして辿り着いたのが「車で人々に夢を与える」というビジョンでした。そのビジョンの一つの方策がＦ１への参戦だったのです。「どうやって儲けるか」という考えだけでは、Ｆ１への参戦という発想は生まれてきませんね。このビジョンを達成するために、数々の施策を実施していくことで、ホンダは真の一流企業にステップアップすることができたのです。

ポジティブな言葉遣い

遠藤周作さんのエッセイの中で「無意識の中にひそんでいる力を活用しよう」という小文が目にとまったので、抜粋して紹介します（『周作塾』講談社、1998年）。

『最近、ある記憶に関する研究で面白い本を読んだ。英語の単語をおぼえる時、意識しておぼえるよりは、腹式呼吸を何度もくりかえして心を無意識状態にしてから暗記する方がはるかに効果があるという本だった。これもやはり無意識の活用法だといえるだろう。

私は長期にわたって入院し、手術を受けたことがある。いよいよ恢復期になった時、同じ手術を受けた仲間たちが、社会復帰を喜ぶどころか臆病になりビビっているのに気がついた。その理由は自分の体が傷ものになったという理由だけではない。別の理由のあることを私は発見したのである。それはこれらの患者が長期入院生活のあいだ、毎日、

「○○をしてはいけません」「△△をするのは体にさわります」

とたえず看護婦や医者に言われているうち自分は「してはいけません人間」になったと無意識に思い込むようになっていることだった。せっかく、恢復期に入っている患者にも、

「あなたはまだ一日半時間以上散歩してはいけません」

「あなたはまだ週二度しかお風呂に入ってはいけません」

このように来る日も来る日も「してはいけません」と耳もとで聞かされてごらんなさい。人間は自信を失い、消極的になるのは当然である。私は多くの患者が社会復帰に臆病になっている理由がわかる気がした。だから私は早速、看護婦や医者に恢復期に入った患者には、

「あなたは一日半時間、散歩ができるようになりました」

「あなたはもう週二度、お風呂に入れるようになりました」

と積極的、肯定的な言葉を言うことを勧めたのである。そうすれば恢復期の患者はどんどん、自分の体力恢復に自信を持つにちがいないからだ。

日本の医師や看護婦が患者の心理をあまり考えずに治療している事実はこういうものの言い方にもはっきりあらわれている。つまり彼等は、人間の無意識がどんなに作用するか知らないのだ。アメリカの女性思想家が、「隠喩としての病い」という本を書いた。彼女はそのなかで「癌」という言葉や文字はそれだけで患者の無意識に眼にみえぬ暗さ、悲嘆、絶望を与える音と文字だと指摘し、これを訂正するよう述べているが、私も同感なのである。』


ちょっとした言葉遣いの工夫が、人の気持ちをポジティブにすることもあれば、ネガティブにすることもあることは、私たちも日頃経験していることです。自分が意識しないで話している内容や口癖が、相手を不快にしていることもあります。人の発言に対して直ぐに否定的に反応したり、皮肉を言ったりする人がいますが、ちょっと淋しい気がしますね。人の発言に対しては、まずは「それは面白い考え方だ」とか、「やってみる価値はありそうだ」などとポジ

ティブに反応する習慣を身に付ければ、その人の周りでは物事が前向きに解決していきそうです。国際会議などで、議論する場合に、「相手の意見をまずポジティブに受け止めてから、自分の意見を言う」ということはよく行われる常套テクニックです。

皆さんも意識的にポジティブな表現をすることを心掛ければ、自分も含めて自分の周りが良い方向へ変化していくと思いますので、是非実践していただきたいと思います。

目標を持つこと

リフレッシュゾーンにJames Allen著の『原因と結果の法則』という本が置いてあったので、読んでみました。この本は１９０２年に書かれ、いまなお着実に売れ続けているロングセラーで、歴史上最も多くの読者を獲得してきた自己啓発書だと言われています。その中で、私が「いいね！」と思った箇所を抜粋して紹介します。興味のある人は、その本を読んでみて下さい。ただし、翻訳はあまりうまくありませんので、自分なりの言葉に直して理解すると良いと思います。

『思いと目標が結びつかない限り、価値ある物事の達成は不可能です。でも、目標を持たないために人生の海原を漂流している人達が、驚くほどたくさんいます。目標を持たないことの弊害は、あまりにも大きいと言わざるを得ません。人生の中での漂流は、誰にとっても、もしその中で遭遇したくないならば、絶対にやめなくてはならないことです。

私達は、人生の目標を持たない時、つまらないことに思い悩んで、余計な苦悩を背負ってみたり、ちょっとした失敗ですぐに絶望してしまう傾向にあります。それは弱さのサインであり、誤った行いと同様、たどるルートは異なりますが、私達を失敗と不幸せへと導き続けます。そもそも弱さとは、このパワフルに進化を続ける宇宙内では存続することさえままならないものなのです。

人間は、理にかなった人生の目標を心に抱き、その達成を目指すべきです。その目標に、自分の思いを集中して向け続けるべきです。その目標は、その時々の内側の状態にしたがって、精神面の理想であることもあれば、物質的な目標であることもあるでしょう。そして、そのどちらであっても、もし人生の漂流者となりたくないのなら、自分自身の思いを、自らの手で設定したその目標に集中して向け続ける必要があります。

私達は、その大きな目標の達成を第一の義務として、毎日を生きるべきです。自分の思いを、はかない夢やあこがれ、妄想などの上に漂わせたりするのではなく、その目標に集中して向け、意欲的に達成を目指すべきです。

それによって私達は、集中力と自分をコントロールする能力を磨くことにもなります。そして、自分をコントロールする能力を磨くことこそが、自分を強化する最善の策なのです。

たとえ、その目標の達成に繰返し失敗したとしても（弱さが克服されるまでは、それが必然です）、それを通じて身に付けることのできる心の強さは、真の成功の確かな礎として機能することになります。個々の失敗は、それぞれが輝かしい未来に向けた新しい出発点に他ならないのです。

大きな目標を発見できないでいる人は、とりあえず、目の前にある自分がやるべきことに、自分の思いを集中して向けるべきです。その作業がいかに小さなものに見えようと、問題ではありません。そうやって、目の前にあるやるべきことを完璧にやり遂げるよう努力することで、集中力と自己コントロール能力は確実に磨かれます。

そして、それらの能力が十分に磨き上げられたとき、達成が不可能なものは何一つなくなります。間もなく、とても自然に、より大きな目標が見えてくるはずです。』

5

プロ認定制度

専門分野の名刺表示（その1）

この度、名刺に専門分野を表示することにしました。対象者は、設計部でプロフェッショナルとして認定している方々です。その背景について、今一度説明しておきたいと思います。

設計部は、当社の商品を生み出している技術者集団です。その商品が顧客にとって魅力があり、競争力があること、また商品を作り出している我々自身が顧客から信頼を得ていることが、商売繁盛に不可欠な要素となります。そのためには、一人ひとりの技術者としてのレベルアップとモチベーション、そして組織の基盤がしっかりしていることが必要です。この個人に関する部分に対して、「一人ひとりがProfessional」というビジョンを制定したわけです。このビジョンに向かって行動していくための私の役割は、①部員の技術者としてのレベルアップをはかること、②部員のモチベーションを高めること、になります。そのための方策には、推進力増加策だけではなくて規制力減少策も必要となります。

さて、この度の専門分野の名刺表示は、推進力増加策の一つのアクションです。以前メールで連絡しましたが、そのねらいは、①自分自身が、専門分野入りの名刺を社外の人に堂々と渡せる状態になるための自己研鑽を継続するきっかけとすること、②名刺を渡す社外の人に、自分自身を知ってもらうきっかけとすること、です。さらに、その専門分野のキーパーソンとの人脈作りのために、戦略的な社外委員会活動を推進していきたいと考えています。

その他にもモチベーションアップの推進力増加策としては、継続して実施している資格取得の推進・社内勉強会の実施・論文発表などがあります。これらの推進力増加策について、以前、経営コンサルタントの方に話したところ、推進力増加策と共に規制力減少策も併用すると効果的だというアドバイスをもらいました。そこで、モチベーションアップを規制しているものは何か、阻害要因は何かと社内を見渡したところ、組織の重層構造が最も大きな阻害要因になっていることに気づき、まずは本部の「組織のフラット化」を実現することを方策の一つに加えました。Weekly Mailにも何度か書きましたが、改革に成功したと言われる一流企業では、何らかの「組織のフラット化」を実行しています。

実は、本部長も以前から「組織のフラット化」を実現したいという思いを持っておられて、実現に向けて昨年から社内調整を重ねてこられました。ただ、そこには、「新しいことは10人に聞けば9人以上が反対する」という現実があり、まだ、実現するには至っていませんが、私は、本部長の意を継いで、「組織のフラット化」の実現に向けて継続的に活動していくつもりです。「目指し続ければ目標から遠ざかることはない。目指し続けることが大切」ということです。

自分の価値

設計部では、30歳以上の部員を対象にした「プロ認定制度」を実施しています。そのベースになるのは、自分の専門分野を明確に設定することです。仕事を遂行するときに必要な専門的な知識とは別に、自分が進んでいきたい分野を定めて、自己研鑽し、社外委員会などの活動を通じて、その分野で社内外から認められるプロフェッショナルになろうというものです。専門分野の名前は短い言葉なので、何人かの方々は同じ専門分野名を設定していますが、自分がその分野（狭い分野でも構いません）で最先端の技術者となるには、他の人と競合しない分野に取り組むことも重要だと思います。

他の人と違うところで、自分の価値を見出すためのポイントは、「目的」「ルート」「売り」「場所」「時間幅」のいずれかをずらすことだと言われています。それぞれについて、少し解説します。

①「目的」をずらす

現在あるいは将来のニーズを自分なりにとらえて、「だから私はこの専門分野のプロになる」というように考えれば、専門分野名が同じであっても、他の人とは違う目的が設定できると思います。

②「ルート」をずらす
目的は同じでも、そこへ至る方策や手順などを変えて、他の人とは違う取り組み方をするということです。
③「売り」をずらす
周囲との比較で自分が特に優れている部分をさらに伸ばすという方法もあると思います。
④「場所」をずらす
認められる場所をずらすということです。私は、専門分野に関しては、その分野のキーパーソン達から認められることが必要不可欠だと思います。社外のキーパーソン達から認められるようになれば、その結果として、社内でも自分の役割（場所）が明確になってくると思います。
⑤「時間幅」をずらす
日本人は短期的な承認を重視する傾向があるそうです。定例的な表彰制度などもその方策の一つかもしれません。そのような短期的な業務達成を通じての能力アップに加えて、自分が設定した目的に向かって、長期的なレンジで活動していくテーマ（分野）を持っていることは重要なことだと思います。

それぞれの人の取り組むべき専門分野において、その人がその分野の第一人者になるようなサポートを継続していきたいと思っています。

Keynote Lecture

今週、CONCREEP8という国際会議が、三重県志摩で開催されます。設計部からは、エカラット君・土田君・前田君・渡辺上席共著の論文をエカラット君が発表します。その会議において、渡辺上席がkeynote lectureをされるのですが、先週の金曜日にシミズホールでリハーサルがあり、当部からも6～7人が参加しました。

各学問分野で4年に一度とかの頻度で開催されるメインの国際会議において、keynote lectureをするというのは、その分野に携わる研究者にとっては、おそらく最も名誉あることだと思います。なぜなら、その分野で最も頂点に立っていることを周りから認められたことに他ならないからです。通常の講演会や講習会の講師とは全く違うレベルのlectureです。博士号とか論文賞などは、一つの通過点にしか過ぎませんが、keynote lectureは研究者の到達点と言えるかもしれません。

21年前ですが、バンクーバーで開催されたICASP5という国際会議で、名古屋大学の松尾稔先生（元名古屋大学総長）がkeynote lectureをされたのですが、その前日ならびにlecture直前まで研究室のメンバーや関係する先生達と詳細な打ち合わせをし、かなり緊張されていたことが思い出されます。以前紹介した武蔵工業大学の星谷勝先生はICOSSARという国際会議において keynote lectureとともにFreudenthal Medalという信頼性設計分野で最高のメダルを受賞されました。星谷先生は「このメダルを受賞したことを大変誇りに思う」とおっしゃって、関係者を招いて受賞記念講演会を開催されました。また、ICOSSARのChairmanも務めたオーストリアのSchuëller先生がkeynote lectureをされた時は、会場後方の隅で、民族衣装（正装）を着た夫人が、じっと先生のlectureを聴いていた姿が印象的でした。keynote lectureは、その分野の一世代を築いた人に与えられる名誉ある称号と言えるでしょう。

さて、設計部では「一人ひとりがProfessional」というビジョンを掲げているわけですが、私は以前皆さんに、「自分も含めて同僚が社外の色々な場面でプロフェッショナルとして活躍している姿を思い描いてください。どうです？　いい感じでしょう？」という話を何度かしました。私は、プロとして認定された皆さんには、自分の専門分野において、客先から信頼されて色々な相談を受ける、社外各所から講演や講義を依頼される、雑誌や論文などの執筆を依頼されるといったレベルになり、社内外の多くの人の目に触れる活動を是非していただきたいと思っています。身近にいる同僚達が、そのような活動をしていることを目にしたり、聞いたりすることはうれしいことですし、やる気が出ることでもあるのです。

この度の渡辺上席のkeynote lectureは、正にその感覚を呼び起こしてくれました。私は、渡辺上席がkeynote lectureをされることを我々の誇りに思っています。

専門分野の名刺表示（その2）

先週配布された社報10月号の座談会に私が登場していますが、読んでいただけたでしょうか？　座談会は盆前にあって、50分くらい雑談し、その内容を広報部が記事にしたものです。大体8割程度は発言した内容ですが、後の2割は広報部がうまく文章を作っている感じですね。最終稿の段階になって、総務部の検閲が入り、私が「専門分野を名刺に表示している」と発言している部分を修正して欲しいと言ってきました。理由は、名刺に表示できるのは公的資格だけと決まっているので、このように書くと、他の部署も真似をしてルール違反をする可能性があるから、というものでした。その結果、「名刺表示」は「執務スペースに表示」という表現に修正しました。

既にお話ししているとおり、「専門分野の名刺表示」は、プロフェッショナルとしてのモチベーションアップ、堂々と名刺を渡すための自己研鑽のきっかけをつくる、受け取った相手に自分を知ってもらうなどの効果を期待したものです。4月から始めていますが、受け取った人は結構目にとめてくれて、効果は上々という話を聞いています。また、「私の所もこういうことをやりたいんですよ」と言ってくれた社内外の方々がいます。

この専門分野の名刺表示をスタートする際にも、私は名前の上の空白部に表示したかったのですが、総務部から「そこは使ってはいけないスペース」と言われて、やむなく公的資格の上に表示することにしたという経緯があります。今回の総務部からの指摘を受けて、まず感じたことは、「結構細かいところまで見ているんだな」ということです。また、中身はどうであれ、ルールを守らせようとする姿勢に、大企業病の一端を垣間見た気がしました。彼らはきちんと仕事をしている。社長が「専門分野を名刺に表示しよう」と言えば、やはり彼らはきちんと仕事をしてくれるのだと思います。

先週はもう一つ、私が書いた文章が『橋梁と基礎』の巻頭言となって皆さんの目に触れることになりました。編集委員の知人が私を推薦してくださったものです。内容は、性能設計の動向に関するものですが、読んだことがあると感じた方もいると思います。以前、Weekly Mail に書いた内容に肉付けしたものです。書いている内容は、全て私自身が主体的、部分的、間接的に関わったものばかりです。この10年に限定して概観しましたが、実はその前の10年くらいの間に、ＩＳＯ２３９４の邦訳や例題作成、荷重指針の基になる調査・検討、部分安全係数設定に関する受託研究などをしていたので、最近ようやく目に見える成果が現れてきているということです。我々が活動してこなかったら、このような成果は実現できなかったと自負しています。

この『橋梁と基礎』の巻頭言は、20年間にわたり一緒に活動を続けているある先生に目を通していただきました。その先生からは「盛り沢山の活動がよくまとめられていて、大変立派な内容です。これを読んでくれた方が刺激を感じてくれればいいですよね」という言葉をいただき、「この内容を書いてよかったな」と思いました。このような機会を与えてくださった方々に感謝します。

安全と安心

「安心」という言葉を見聞きする機会が多くなってきたように感じます。私は、建設業の使命は、「人々が安全に安心して生活や事業活動ができる環境を提供すること」であると思っていますし、「我が社が、安心を社会に提供するプロ集団になること」を目指しているので、「安心」という言葉を聞くたびに、好ましいことだなと思うと同時に、自分達が今やるべきことについてつらつらと考えています。

安心な社会に対するニーズについて、日本学術会議は、「安全とは、客観的に見て危険や危害の生じる恐れのないことであり、安心とは、主観的な心のあり様として不安のないことである」とした上で、「現代の安心の問題は、宗教の領域におけるように人々の内心の問題としてその処理が人々にゆだねられるのではなく、安全の保障と結びついて、安全を保障すべき国家・科学技術に対して向けられる課題となっている」と説明しています。最近の例としては、BSEとアメリカからの食肉牛の輸入問題が挙げられます。当初日本政府は、輸入解禁のためにアメリカに対して日本のBSE対策における安全措置と同じもの、つまり、食用に供される牛の特定危険部位の除去とともに全頭検査を要求しました。これに対してアメリカ側は、正当な科学の立場からすれば全頭検査は安全対策として必要ないことを主張しました。そして、その後の日本の食品安全委員会の結論に基づいて、日本学術会議は、「全頭検査は、安全に関わるものではなく、あえて言えば安心のためのコストである」としています。

２００１年９月11日にアメリカで発生した同時多発テロは、人々の不安を生みました。その不安によって、テロ後の３年間で、アメリカのセキュリティ費や国防費は約５０００億円増加しました。また、２００７年８月１日に、アメリカのミネソタ州ミネアポリス市北部のミシシッピー川に架かる州際高速道路35Ｗのトラス橋が落橋しました。この事故を受けて、新橋が架け替えられることになりますが、ミネアポリス市では新橋の安全性に対して不安を持つ市民が多い状況でした。このような不安に対応するために、新橋では設計基準の要求以上の安全側の設計が実施されました。たとえば、設計供用期間は75年（基準）→１００年（新橋）とし、活荷重係数は１・７５（基準）→２・０（新橋）としています。このような対応は「安心」を確保するための対応であり、定量的に評価できるものではありません。このように「安全」を確保するだけではなくて、「安心」を得ることも重要なことだと思います。しかし、「安心」には定量的な尺度がないために、不安を解消するためにどの程度の対策をすればよいかの判断が、経済性の制約の中で、難しい課題となっています。

話は少し飛躍しますが、「安全」と「安心」ということを、プロフェッショナルの資質という観点で考えてみましょう。プロフェッショナルの資質においての「安全」とは、専門分野に関する技術力ではないかと思います。専門的知識や経験が豊富で、課題に対して的確に対応できる技術者は「安全」だと言えます。ただし、いくら技術的な内容が優れていても、説明が難しくてよく分からない、あるいは丁寧に答えてくれない、期限を守らないといった対応の不適切さがあれば、依頼者はその技術者に対して「不安」を覚えると思います。プロフェッショナルとして認められるためには、技術力アップのために日々自己研鑽に励み、技術者としての「安全」を確保するとともに、依頼者や社会に「安心」を提供できるような資質を身に付けていく必要があると思います。プロフェッショナルとして、「安全」と「安心」の両面においてレベルアップしていきましょう。

人　財

可もなく不可もなく言われたことをただ漫然と作業する「人材」と、常に自分なりの付加価値を考えながら言われた以上のことを仕事のアウトプットとして創出する「人財」とがあると言われています。「人材」は若くて安い労働力や機械に取って代わられ、需要は飽和していきますが、その一方で、「人財」はかけがえのない領域を持つがゆえに、ますます尊ばれ、需要が増加してくるでしょう。「一人ひとりがProfessional」というビジョンは、「一人ひとりが人財として認められて活躍する」ということに他なりません。では、「人財」とはどのような資質や意識を持った者なのか？「人財」を「人材」と対比した記述をある本で見かけましたので、その本に書いてあった「人財」の特徴をご紹介しましょう。「人材」の方は、その逆となります。

「人財」とは、

- かけがえのない「タレント」
- 自分という労働力の価値に意識を払っている、高めている
- 代替がきかないヒト（年齢が上がっても採用され続ける）
- 他とは何か違えたい自分がある
- 「他にもっといいやり方があるはずだ」と考える
- 変化を「チャンス」ととらえる
- 良い仕事の最大のご褒美は次なる魅力的な仕事の機会を得ること（お金は後からついてくればいい）
- そのプロジェクトに血が騒ぐ
- 常に自己を更新し、フロンティアを拡大する
- 名刺を取り上げられても自分が語れる

私は、皆さんを「人財」であると思っていますし、「認定プロ」として「名刺を取り上げられたらタダの人」れても自分が語れる」人になって欲しいと思っています。「名刺を取り上げら

などと言われないように精進していきましょう。

自分のアイコン

設計部では、自分の専門分野を決めて、行き先表示板に掲示したり、名刺に表示したりしています。「プロ認定制度」と呼んでいるものですが、設計部ビジョン2005を制定した時に始めたので4年半経過しました。この期間を経て、自分の専門分野が変わってきた人もいるでしょう。この専門分野は、ただ表示しているだけ、あるいは専門分野に関連した仕事をしているだけでは、なかなかプロフェッショナルになることはできません。どうしても、＋αの活動を継続的に行う必要があります。近いうちに、また皆さんと面談して、専門分野の変更・認定や専門分野に関連する社外活動などについて話し合いたいと思っています。

ある本を読んでいたら、「自分のアイコンを造る」という表現が目にとまりました。別の言い方をすれば、「自分が何者かを語れる」あるいは「自分の専門分野に関することを語り、自分が何者かを他者が理解してくれる」ということだと思います。皆さんは、「テーマは任せますが1時間講演して下さい」と依頼されたら、どんなことを話しますか？　自分が自信を持って話せる内容が自分の専門分野だと言えます。プロフェッショナルなら、自分の専門分野に関することをいつでも講演できるように準備をしておく必要があると思います。

参考までに私の例を紹介します。私は「信頼性設計」という専門分野を掲げています。信頼性設計に関しては、もちろんかなりの時間講演するネタを持っていますが、それ以外の講演できるテーマも年とともに増えてきています。現在、私がすぐに講演できるのは、次の5テーマです。

①信頼性設計関係（信頼性設計法の概要、部分安全係数法など）
②性能設計時代の設計審査体制
③土木構造物の作用の指針
④海外建設プロジェクトの実際
⑤技術者倫理

これらはここ5年くらいの間に色々なところで講演しているテーマなので、パワーポイントもできています。これらのテーマが今の「自分のアイコン」なのかもしれません。現在、土木学会で「土木構造物標準示方書（作用・荷重編）」を作成中で、来年度発刊予定です。私はこの活動の編集幹事をやっていることもあり、来年にはこのテーマの新しいアイコンができそうです。

プロフェッショナルとして、社外で認めてもらうためには、土木学会論文集などの権威ある論文集に論文を登載することもさることながら、色々な場面で、自分の専門分野に関係した内容の講演を行うことも重要であると思います。専門家として認められれば、「自分のアイコン」をクリックしてくれる人が現れます。そのような機会があれば、決して逃さないようにチャレンジしていただきたいと思います。また、日頃から専門分野の最新情報をキャッチすることにより、時宜を得た内容の講演の準備をしておくことをお勧めします。

自分の名前での活動

今回は、木村政雄さんの話を紹介します。木村さんは、吉本興業の大阪本社代表を務めた方で、現在は執筆活動、講演、法政大学客員教授など、幅広く活動されている方です。

『所属する、という感覚は人間を安心させるものだし、一丸となって力を発揮することができると思います。でもそれは確かな目標があって、一人ひとりが進む方向を知っているからですね。言わばプロジェクトに参加している緊張感が必要でしょう。それは群れることとは違います。今、所属している企業や組織の価値観に首までどっぷり浸ってしまうのではなく、どこかで片足を外に出して、ニュートラルな無所属の気持ちを持ち続けていって欲しいと思います。そうしないと客観的な判断がすり減っていくからです。

私は、若い人があこがれるような大人のサラリーマンがいないと感じているのですが、それは大人が組織の中に入ってしまうと、外からはその人の努力も、また人となりもまったく見えなくなるからだと思います。

かつて私は「有名塾」という自由な塾を運営していました。別に世間に名を上げる塾というのではなくて、「課長」とか「お母さん」とか、どこそこの社員という肩書ではなく、親が付けてくれた名前にかえって、年代や立場の違う老若男女、主婦も学生も一堂に会する集まりです。グループに分かれて相談し、出し物を完成するなどの活動でみな不思議なほど元気になりました。

個人の名前でいられる世界を持っておくこと。実はそれがエネルギーになるのだと思いますね。』

この話は、「一人ひとりがProfessionalになろう」とか、「名刺がなくても自分を語れるようになろう」ということと本質的に同じことを言っていると思います。このように、無所属の感覚をどこかに残して生きることは、社内で見かける間違った判断に対して客観的に是正していくこともできるし、何よりも自分自身のエネルギーになり、モチベーションを高めることができます。自分自身の専門分野を明確にして、対外的に発信することが、自分の行動に新しいエネルギーを生み、その結果、所属する組織のパフォーマンスに良い結果をもたらすことになります。皆さんには、「自分が何のProfessionalであるか」ということ、そして、「Professionalとなるためにどのように継続的な努力をしているか」ということを、日常的にチェックしていただきたいと思います。

仕事に興味を持つ

自分の専門分野のプロフェッショナルとなるための第一歩は、今自分がやっている仕事に興味を持つことだと思います。「興味を持つ」ということは、単に面白いということではなくて、「なぜだろう」と考えて、真理に近づいていったり、先端の学問レベルを調査したりしていくということです。

私の体験を少しお話ししましょう。新入社員の時に設計の仕事をしていたのですが、応力度照査で「鉄筋の引張応力度が許容応力度を数キロ（kg/cm^2）オーバーしている」などときわどい話をしている反面、鉄筋の安全率は降伏強度に対して1・75、コンクリートなら設計基準強度に対して3（有効数字1桁！）などと非常にざっくりと決まっているアンバランスさに、まず疑問を持ち、「安全率とはどのように決まっているのか」ということに興味を持ちました。そして、安全率を合理的に設定する手法として信頼性設計法があることを知りました。そして、その当時、設計法を専門分野としている大学の友人がいたので、その友人に声をかけて、5〜6人のメンバーを集めて、月に1回土曜日の午後に大学に集まり、信頼性設計法の勉強会をやることにしました。その活動は2年くらい続けましたが、その中で英文の専門書を1冊和訳したりもしました。その時に勉強していた論文の中で、研究内容の新規性や有用性の観点から目を引いたのがミュンヘン工科大学のRackwitz先生でした。ちょうどその頃、会社で公募留学制度ができ、手を挙げたら運よく選ばれたので、早速Rackwitz先生のところに手紙を書いて、客員研究員になることを了解してもらい、信頼性設計法を深く研究することになりました。その結果、今日に至るまで信頼性設計法を自分の専門分野として活動を続けています。

私の例を挙げたのは、自分の専門分野を見つけるためには、興味を持って、なにがしかの努力をしていることが必要だということを理解して欲しかったからです。たとえば、興味のある分野の国内外の論文を読む、専門書を買って読む、その分野の講演会・シンポジウム・国際会議などに参加する、などといった日常的な活動を是非とも計画し、継続して欲しいと思います。また、その分野の人脈を作り、情報交換することが非常に重要です。周りから、その分野の第一人者と認められるようになると、情報は向こうから入ってくるようになるし、自分の名前が入った論文を他の人が書いてくれたりもします。

最初に述べましたが、「興味を持つ」ことがプロフェッショナルの第一歩だということを、特に新入社員の皆さんに言いたいと思います。たとえば、道路排水の設計をしているとしましょう。以前の類似設計の図書を使って、効率よく計算書と図面を仕上げることは簡単ですし、それで、仕事上は問題ないことも多いと思います。ただ、そういう仕事を任されたら、道を歩いているときに、側溝、排水枡、マンホールなどはどのように設置されているか、排水面積や道路勾配はどれくらいか、あるいはL型側溝は何を使っているか、等々を観察すると、新しい発見があったり、調べたいことが見つかったりして、どんどん興味は広がっていきます。街中で見かける建築物や高架橋などの構造を見て、「なぜこんな形をしているのか」と考えるだけでも、色々と想像は膨らんでいきます。

会社で言われたことだけやっている社員が多くなると、会社は衰退していきます。「社員全員が同じベクトルで行動する」ということを、「言われたことをやる」と捉えてしまうと危険です。一人ひとりが何事にも興味を持ち、他の人とは一味違う専門分野を見つけて、継続的な活動をすることで、社外から認められるプロフェッショナルになることが非常に大事です。そうすれば、幅広い分野のプロフェッショナルが存在することで、会社の事業範囲が広がっていき、その結果、会社は発展していくことになります。技術を売って商売している会社ですから、当たり前のことですね。

皆さんが興味を持って仕事をする、そして＋αの努力をすることが、結果として会社の発展に繋がるのだと思います。

自分の斧を研ぐ

『昔々、ひとりの木こりが材木屋に仕事を探しに行った。給金は良く、仕事の条件も更に良かったので、木こりはそこでしっかり役に立とうと決心した。最初の日、親方の所へ挨拶に行くと、親方は斧を一本手渡して森の一角を割り当てた。男はやる気満々で森に向かい、その日一日で18本の木を切り倒したのだった。「よくやったな」親方は言った。「この調子で頼むぞ」その言葉に励まされて、翌日はもっと頑張ろうと早めに床に入った。翌朝は誰よりも早く起きて森へ向かった。ところがその日は努力もむなしく15本が精一杯だった。「疲れているに違いない」そう考えた木こりは、その日、日暮れとともに寝ることにした。夜明けが来ると、18本の記録を超えてやるぞ、と心に決めて床を出た。ところがその日は18本どころかその半分も切り倒せなかった。次の日は7本、そのまた次の日は5本、そして最後には夕方になっても2本目の木と格闘していた。

何と言われるだろうとびくびくしながらも、木こりは親方に正直に報告して、これでも力の限りやっているのです、と誓った。親方は彼にこう尋ねた。「最後に斧を研いだのはいつだ？」「斧を研ぐ？　研いでいる時間はありやせんでした。木を切るのに精一杯です」』

次から次へと入ってくる新しい仕事に対応して、あるいは大型案件を担当している人はスケジュール通りに設計図書を完成させることに追われて、右記の話の木こりのように木を切るという目先の仕事に対応するのが精一杯だと感じている人も少なからずいると思います。一方で、我々は技術を商品として売る会社の技術者ですから、お客様から見て常に魅力ある商品（技術力）を品揃えしておかなければなりません。それは言い換えると、自分の専門分野において常に最先端の技術的知識や情報を身に付けていることだと思います。木こりの斧が鈍ったのでは商売にならないわけです。

設計部内で回覧している『LNG Journal』は、LNGに関する世界中の情報を紹介してくれているので、非常に良い情報源となっていますね。また、コンクリート、構造、耐震工学など、自分の専門分野の論文集を定期的に読む習慣をつけて下さい。ASCEの論文集は技術研究所へ行けば読むことができます。興味のある講習会には積極的に参加して下さい。さらには興味のある委員会にも積極的に参加して下さい。我々は、プロフェッショナルであるための努力を惜しまず、継続する必要があります。

「論文を読む時間がない」「委員会活動をしている暇がない」と思う人がいるかもしれませんが、やってみれば、それが間違いだということに気付きます。論文や雑誌くらいを読む時間は工夫すればなんとでもなります。社外の委員会活動は、「会社の本来の仕事に影響を及ぼさない」ことが原則です。「委員会活動で時間をとられるのだから、必ず影響はでる」と考えがちですが、そんなことはありません。いかに時間を効率的にマネジメントするか、いかに無駄な仕事をなくし、効率的に仕事をすすめるかなど改善点は多々あります。一般的に、社外活動を多くやっている人ほど、仕事の作業効率は高いように感じています。自分なりに工夫をしているからだと思います。

皆さんもプロの技術者として「自分の斧を研ぐこと」を忘れずに、実践していただきたいと思います。

年頭にあたって

新年明けましておめでとうございます。皆さんもお正月をご家族と過ごして、リフレッシュできたことと思います。また、今年はこういうことにチャレンジしようとか、目標を立てた人もいらっしゃることでしょう。年頭にあたり、私が今年皆さんと一緒に取り組もうと思っていることを述べます。

『一人ひとりがProfessional』という設計部ビジョンを制定してから今年の4月で9年に、また、名刺に専門分野を表示し始めてから6年になります。社外の人からは、しばしば「認定プロとは何ですか？」と聞かれるので、「待っていました！」とばかりに、その目的が「社外の人から技術者としての自分を知ってもらうこと」と、それ以上に「自身のモチベーションアップ」であると説明しています。認定プロの皆さんもそのような質問を受けた経験が何度もあったことと思います。自分自身を紹介する際には、会社名を言うだけではなくて、「専門分野は□□です」と自然に付け加えられるようになればしめたものです。国際的には、「私はcivil engineerです」と自己紹介する方が標準的で、会社名を言って自己紹介することは特殊な部類に属します。名刺を取り上げられても自分を語れるし、他者からも認めてもらえるような技術者になることは、『一人ひとりがProfessional』である一つの証しでもあります。

経験を積んでいくうちに自分の専門分野を変更したい人や、新たに専門分野を定めて認定プロとしてスタートしたい人もいると思いますので、次回の面談の際に話し合いましょう。そして、その際に自分の専門分野におけるキーパーソンやキーとなる社外委員会についてもヒアリングしたいと思います。専門分野において一流と認められるためには、キーパーソンとの人脈づくりやその分野での活躍が認められることが必要であり、それを実現する手段としては社外委員会活動が効果的です。「社外委員会に参加する」と言うと、その分時間を取られて負担が増えると心配する人もいると思います。しかしながら、実際は、社外委員会などの活動をすることによって、その時間を挽回するために社内の仕事を効率的に行う方法や習慣が身に付き、それにも増してモチベーションがアップすることで、社内の仕事を処理する量が増加する結果になり、効果の方が大きくなります。「当社から誰か一人出さないといけない」などの押し付けで、不承不承参加するような委員会では、やる気は起こりませんが、私がここで言っているのは、皆さんの専門分野においてキーになる委員会ですので、自分の存在をアピールし、キーパーソンから認められるようになれば、確実にモチベーションはアップしていきます。社外委員会活動に関しては、単純に使う時間だけで難色を示すのではなく、もたらす効果が非常に大きいことを認識して、戦略的に利用する必要があります。

自分の専門分野で一流のプロフェッショナルになることは、チャレンジ精神があればできることです。自分をチェンジする必要はなく、一つずつ積み重ねていけばよいのです。皆さん一人ひとりが、色々な場面でプロフェッショナルとして活躍している状態にしていくことが、私の一つの役目だと思っています。プロフェッショナルになろうとする意識や行動があれば、日常的に技術力向上に努めるようになるので、その結果として、設計品質が向上する、施工中の不具合を未然に防ぐ、効果的な営業活動ができる、発注者のニーズに合致し評価してくれるプロポーザルや技術提案書を作成できる、といった効果が表れてきます。「設計品質を確保する」「施工の不具合を防止する」「点の取れる技術提案書を作成する」と言うだけでは、良い結果はついてきません。一人ひとりが認定プロとして認められて社内外で活動することで、やる気を引き出すというような効果的なアクションをとることが重要であることを認識する必要があります。「自分の専門分野で一流のプロフェッショナルになる」ための取り組みは、自分自身をチェンジする必要はありませんが、会社の風土を時代に即した良い方向へチェンジさせる結果をもたらします。皆さんには、この「プロ認定制度」を定着させるための取り組みを当事者として今後も継続して推進していただきたいと思います。

一流の技術者を目指して

先週は、短時間ではありましたが、部員の皆さん一人ひとりと面談をしました。その時に皆さんに言いましたが、コツコツと積み重ねて技術力を高めて欲しいと思います。技術力とは、もちろん仕事に使う土木工学の知識・経験やマネジメント力が中心になりますが、人脈や人間性、豊富な知識、語学力などもプロフェッショナルの幅を拡げる技術力となります。我々が技術力を常に向上させることで、会社は成り立っているのです。プロの技術者の力を発揮して、社会に貢献するために、我々は仕事を受注しようとしているのです。このように、我々技術者が会社の商品であり、エンジンであるということを常に認識して、多方面で技術力を磨いていただきたいと思います。

プロフェッショナルとなるためには、自分の専門分野において、その分野のキーパーソンから認めてもらわなければなりません。そのためには、論文集への投稿や社外委員会での活動を通じて、知名度を高め、専門分野での人脈を拡げることが重要です。また、専門分野ではありませんが、高校や大学などの同期会の幹事役を引き受けると人脈は拡がりますし、友人たちからは感謝されるようになります。このような対外的な活動に積極的に取り組んで、是非プロフェッショナルと認められる一流の技術者となっていただきたいと思います。

面談のときに、何人かの人に言いましたが、「どんな職場にいても、今いる職場で骨を埋める気持ちで取り組んで欲しい」と思います。「俺は現場へ行くから」とか「また設計部に戻るから」というような意識でいると、その意識が態度に現れて、十分に力を発揮できず、また十分な経験を得られない場合があります。皆さんは、現在設計部に籍を置いているのだから、設計部の仕事にのめり込んでいただきたいと思います。私の経験ですが、30歳前後にミュンヘン工科大学で客員研究員として働いていた時は、我が社の社員だという意識はありませんでした。日本へ帰国することなど考えずに、ずっとドイツで暮らすものだと思って生活していました。そのお蔭で、大学の先生や同僚たちからは仲間として認められていたと思いますし、家族ともども地域社会に溶け込むことができたのだと思います。

新入社員や設計部に配属になって日の浅い人は、まだまだ設計業務に慣れていないことと思います。計算書をチェックしたつもりが、思わぬところでミスがあって、やり直すことになったということも何度か経験したと思います。特に計算については、一カ所でも間違いがあるとダメ、つまり100％の正解が求められる仕事ですから、いかにして効率よくチェックしてミスを防ぐかについて、自分なりに工夫をする必要があります。ミスを犯したときには、なぜそうなったかを考えて、どういうチェックをすれば再発を防げるかを決めて実行していただきたいと思います。また、専門用語などの言葉がわからないことも多いと思います。これについては、自分で本を買って勉強するしかないですね。わからないまま放っておくと、間違った理解をしてしまうことがあります。専門用語に関して、自分独自の辞書（ノート）を作るなどの工夫をしてみて下さい。

「プロの設計技術者になる」ために、皆さん一人ひとりが自分の個性に合わせて日々研鑽していただきたいと思います。

6

経営マネジメント

木を見て森を見ず

当社が売り物にしている商品は何かを、常に社員が認識していることが重要だと思っています。技術や品質に裏付けられた構造物はもちろん商品ですし、設計部が作成している設計図・計算書・検討書などの書類も商品です。さらに、我々個人が商品になる場合もあります。お客さんから指名で声がかかることがありますよね。

このような我々の商売の基本というか原点について考えれば、商品を作っているプロセスや商品そのものを大事にしなければならないことが、誰でもわかります。

そんな中、最近、ドキッとするような文章を目にしましたので、紹介します。

「小さな成功に拘泥する」というタイトルです。

『事業部単位で、毎年確実に収益をあげることに拘泥する思想が染み付き、日々小さな成功を求めるあまり、事業の成否を決するような大きな判断ができなくなる。

部門ごとの収支追求は、責任を明確にするという反面、個別部門の収支が社内外から評価基準とされる意識が高まり、事業部の生存本能が働いて縮小均衡に陥り、リスクを背負った判断による技術革新や事業部間の連携による製品開発がしにくくなる。収益性や採算管理を厳しく問われた各事業部は次第に内向き指向を強め、「前年をどれくらい上回ったか、他部門の実績に比べて遜色ないか」にばかり反応するようになる。

リストラに終始するあまり、分社や社外委託、他社との協業といったものづくり体制が行き渡り、本社コストは軽くなり、短期的な利益回復には貢献するが、製造と開発、現場と本社が遠く離れ、それぞれの論理で働くようになる。製造工程は分散され、情報伝達が機能不全を起こす。

同時にリストラによって人員削減する余波も起き、技術や製造現場がわかる人が本社からいらなくなり、本社に技術がわかる人がいなくなる。そのために対応や判断が遅れる。誰も原因を的確に把握したり、早期に対策を打てなくなる。次第に優秀な技術者は士気を無くして辞めていく。

分社化やカンパニー制導入、外部委託の活用、人員整理による小さな組織による確実な利益、という思想は、確かに短期的な収益は回復させた。しかし、組織機能を有機的に束ねるために必要な接着剤は失われた。後工程に不具合を残さないという製造業の基本が疎かになった。人材と共に細かい調整や問題解決のノウハウも流出した。問題を技術的に把握できる人材すら本社に残っていない状態に陥った。こぢんまりとした組織によって大胆な判断や横断的な連携ができなくなってしまった。

ＭＢＡによる机上の計算によるマネジメントが拍車をかける面もある。全ては目先の利益を追ったことへの弊害である。

これを乗り切るには、まず基本に返る。原点を見直す必要がある。組織の壁をとる。機を見て思い切った投資をし、垂直統合をかける、等が求められる。』

ドキッとしたのは、思い当たる節があるからです。こんな状態にならないように、具体的なアクションをとっていきたいと考えています。

新規事業分野の拡大

新規事業分野の拡大について、他社にヒアリングして感じたことを紹介します。

まず電源開発です。電源開発は、２００３年に電源開発促進法が廃止されて民営化されました。民営化する5年前くらいから各種の改革に取り組み、企業理念を定め、J-POWERというコミュニケーションネームを導入しました。改革方針は「人間を減らして、事業を拡大する」ということだったそうです。そのために組織改編によりフラットな組織とし、余剰人員を新事業に充てる方策を実施しました。新事業として色々な事業に取り組んだそうです。たとえば、化粧品事業にも取り組んでいます。ダムに溜まる流木に含まれる成分が化粧品に使えるということで始めたそうです。そのような色々な事業に取り組んでみたものの、結局残った事業は本業に近い事業だったそうです。現在、最も力を入れている新事業は風力発電事業です。

次にＪＲ北海道を紹介します。昭和62年に国鉄が分割民営化されてから、徹底的な合理化に努め、社員数は1万3000人から8500人に減っています。それとともに、こちらも色々な新規事業に取り組みました。自動車販売、チキン・ダチョウの飼育販売、ゴルフ場の経営などもあったそうです。しかしながら、これらの事業はJR北海道にとっては新規でも、それぞれの業界では後発にすぎず、結局はこのような奇抜な新規事業はうまくいかなかったそうです。そして、基本的に本来の事業を中心にした経営に戻りました。

三井不動産にもヒアリングしました。不動産の証券化、Property Management、Building Management などの分野でも幅広く事業を展開しているイメージがありましたが、経営の基本は、「資産を持って安定した賃貸収入を得る」ことだそうです。

これらのヒアリングを通じて、私が感じたことは、あまり本業から離れた新規事業はうまくいかないようだ、ということです。当社も事業領域を拡大しようとしているわけですが、本来業務の周辺領域を徐々に取り込んでいく、というアプローチが良いように思います。

三方よし

ゴールデンウィークの中間点ですが、如何お過ごしでしょうか？　今日は、企業の社会貢献・ミッションに関連した話題です。気軽に読んでください。

本業の仕事を通じた社会貢献という点で日本企業の先駆けとして広く知られているのは、ファスナーのトップメーカーYKKです。そのYKKの創業者、吉田忠雄氏の経営理念は、顧客・従業員・株主とともに一般社会の利益までを統合的に追求するものであり、その基本的な経営姿勢は、現在のYKKにも脈々と受け継がれています。吉田忠雄氏は、このような経営哲学を持つに至った背景を次のように述べています。

『私は少年の頃、偉人の伝記が好きでよく読みました。初代USスチール社長のアンドリュー・カーネギーの伝記を読んでいて、その中に「他人の利益をはからねば自ら栄えない」という言葉を見たとき、子供心に大変感動したのを覚えています。それから、どうやったらこれが実行できるのかずいぶん考えました。

商売人としては、安いときにものを買って高いときに売れば確かにもうかりますが、それでは他人の利益にはなりません。結局、考えた挙句に分かってきたことは、他人の作ったもので商売したらこれはピンハネになってしまうから、自分で生産しなければならないということでした。しかも、他人が100円で売っているものを、発明と工夫で50円で作って売る。こうして、良いものを安く作って売れば、自らももうけ、同時に他人の利益をもはかることができるわけです。こうやって得た利益を大衆、関連会社、そして私どもで三分配しようというのが私のやり方です。

考えるというものは恐ろしいもので、本当に大変なもうけになります。人間生活を豊かにし、資源の節約にもなります。私は自分自身で４００〜５００件の特許を持っていますが、これも資源節約をはかって工夫した結果です。』

この言葉を経営的に大きく捉えれば、「本業で社会貢献するからこそ、企業は繁栄する」と言えるかもしれません。私自身は、この言葉から、「自分自身で物を作れば、そこにコストダウンなどを含めた『三方よし』のアイデアが見出せる」ということを一番感じました。

経営コンサルタント

組織の状態を把握して、改善させるために、経営コンサルタントに診断してもらうことがあります。経営コンサルタントは、まず、対象の職場に入り、できる限り多くの人にインタビューし、それぞれの人の役割を把握するとともに、不満を吸い上げます。このような調査に基づいて、組織の問題点を見つけ出して、重複している組織を統合する、生産性の上がらない組織を廃止する、といった組織改編を提案したり、そこで働く人々のモチベーションを高める方策を提案したりするそうです。

そんな経営コンサルタントの仕事をしている知人が、「色々な企業のコンサルタントをしてきて、その組織が効率的に機能しているかどうかを見分ける私なりの方法があるんですよ。ほぼ間違いなく当たります」と言います。「教えてくださいよ」と私が頼むと、次のような話をしてくれました。

「職場の中で歩いていて人とすれ違いますよね。あるいは、喫煙ルームでタバコを吸っている時とかなんですけど、そんな時に『○○はどうなったっけ』とか、『さっきＸＸさんからこんな電話がありました』という感じで、仕事に関する短いコミュニケーションをしている組織は、殆ど問題を抱えていません。それに対して、世間話程度しかしないような組織には、何らかの改善の余地があるんですよ」

こんな目の付け所があるんですね。さて、自分が属している組織（グループ、部、本部）は、どのような感じでしょうか。

組織の重層構造

最近、技術ソリューション本部が設立されました。電子電話帳で調べてみると、「建築事業本部」の中の「設計・プロポーザル統括」の中に「技術ソリューション本部」がありました。「建築事業本部」には、本部長・副本部長・担当・担当補佐という人がいます。「設計・プロポーザル統括」には、統括・統括部長・上席マネージャーという人がいて、「技術ソリューション本部」には、本部長と首席（２名）がいます。「技術ソリューション本部」には複数の部があって、それぞれの部には複数のグループがあります。

さて、実際の技術書類を作成しているグループ員が、どの階層まで説明を求められているのかは不明ですが、このような重層構造では、業務の効率が落ち、実際に商品である技術書類を作成しているグループ員のモチベーションが低下することが懸念されます。企業が右肩上がりで成長している場合は、新しい組織を設立し、それに応じて社員数も増やしていくわけですが、企業として成熟し、従業員数があまり変動していない当社の場合は、組織の分割ではなくて、統合へ向かわなければならないと思います。改革に成功したほとんどの企業では、組織の統廃合を実施し、重層構造を少なくするフラット化を実現しています。

私は、私達の本部の各グループが、その分野における当社の代表として、自他共に認められている状態を目指しています。設計部について言えば、これにかなり近い状態が実現できていると思います。ただし、この状態を阻害する要因として、右記のような組織の重層構造があります。「○○副本部長（部長）にも説明したほうがいいでしょうか？」「俺はまだ説明を受けていない」「この会議に○○副本部長（部長）も出てもらった方がいいでしょうか？」という発言は、私が最近耳にしたものです。私達の本部でも、重層構造であるがゆえに、不必要な時間を費やしていることが各所で起こっているように感じられます。

私達が作成する技術書類や現場への技術支援（商品）の品質確保は大前提ですが、私は、効率的でモチベーションを高めるような組織に改善する余地があるように思います。皆さんはどう思いますか？　自分が日頃感じていることや意見があれば、気軽に返信してください。

ホンダのエキスパート制度

昨年12月19日に、ホンダに勤めておられた小林三郎さんのご講演があり、参加された方も多いと思います。私は都合がつかず、参加できませんでしたが、非常に元気が出るような内容だったと聞き、次の機会に是非参加しようと思っています。

そんな中、『ホンダの価値観』（田中詔一著）という本が角川書店から新書版で先月発刊されたので、読んでみました。今週は、その本の中から、ホンダのエキスパート制度（１９６８年発足）について書かれている部分を紹介します。

「本体企業のホンダでも、１課に管理職が数名いることがあるが、一人は課長として人事や評定などいわば行政を担当するが、他の管理職は主査と呼ばれる資格を得て、エキスパートとして貢献することになっている。課長の方に課長手当がつくということはない。これは、管理職が増えるに従い、課や部が増え続けピラミッド組織を肥大化するという弊害を避ける工夫でもあるのだが、組織には『経営的なバランス感覚は今一つだけど、あの人に○○をさせればスゴイ』というような人材はいるものだ。そういう人たちの能力を殺さないことが眼目だ。

もちろん、この組織を真に生かしていくのは、そんなに簡単なことではない。まず、そのエキスパートを適材適所に配置することが重要なのは言うまでもないが、最も大事なことは、『部門長がエキスパートよりも偉い』という風潮がはびこるのを阻止することだ。そういう風潮がはびこれば、自分が何のエキスパートかということをほったらかして、部長、役員といった『役職』を目指す人が多くなる。『役職志向』で、ややもすると自分を見失う人たちが出ないよう、エキスパート制度が全社員に認知され、多くのエキスパートが高いプライドと働き甲斐をもてるようにする必要があるわけだ。これは力強い企業にするためには最も重要なことで、藤沢さん（本田宗一郎のパートナー藤沢武夫）が退任にあたり、『一番全力をあげて取り組んだもの』として、これを挙げている。

会社人としても、このエキスパートの制度を企業側からの論理と受け取らず、活き活きと得意なことに集中して楽しむのが会社のためになる、ととれれば素晴らしいと思う。考えれば、得意なことに集中できて、それで給料がもらえ、得意技のレベル向上と同時にその給料も上がっていくということになれば、それはまさに理想ではないだろうか。プロ意識に徹すれば、会社の複雑な人間関係にあまり煩わされることなく、自分の生き様に自信がもてる様にもなる。自分に誠実に生きられることほど、幸せなことはないと思う。」

私は、「こういうことを実施していることから見ても、ホンダは他の大企業とは一味違う」

とは思っていません。改革に成功している企業では、多かれ少なかれ似たような方策を実施していて、特筆するような内容ではないと思うからです。逆に言うと、このような方策を実施できないようでは、一流の企業の仲間入りはできないと思います。

このような事例も参考にしながら、我々のモチベーションを高め、阻害要因を排除する方策を、できるところから実施していきますので、皆さんも一緒に活き活きとした職場を作っていきましょう。よろしくお願いします。

仕事の指向性

先日、「5年後の本部のあるべき姿」についてワーキンググループの活動報告がありました。その提言を一言でいえば、(個人力)×(組織力)で強化していこうということで、なかなかよく議論されていることがうかがえる内容でした。個人力アップについては、色々な施策がとりやすいのですが、組織力アップはなかなか難しい面があると、私自身は日頃感じています。ワーキンググループの皆さんが、今後引き続き議論をして、具体的なアクションプランを提言してくれることを期待しています。

さて、最近読んだ本に、個人の仕事に対する指向性は次の七つに分類される、ということが書いてありました。

(1) Change Seeker（変化創造指向）

常にダイナミックな変化を実感し続けていることを求め、自分自身や仕事の対象、環境に対して、自らがその変化を創造しようとする傾向。

(2) Commander（指揮管理指向）

自分が意思決定を下し、人々をまとめあげることで、広い影響範囲を持つことを求める傾向。

(3) Specialist（分野固定指向）

同じ分野や明確な基準の中で継続的に仕事に取り組み続けることによって、自分の価値を高めようとする傾向。

(4) Nomad（自由奔放指向）

強制や規則に縛られず、自分で決めて、自分で責任を取りながら、自由にマイペースに働くことを求める傾向。

(5) Balancer（マルチ指向）

仕事でやりがいを求めるとともに、仕事以外の分野にも力を注ぎ、自分らしさや充実感を得ることを求める傾向。

(6) Contributor（奉仕指向）
地位や収入が伴わなくても、仕事を通して社会や周囲の人々に役立ち、奉仕することを求める傾向。
(7) Meister（匠指向）
自分の専門知識や技能を誰よりも高め、卓越した成果を生み出し続けることを求める傾向。

皆さん自身あるいは身の回りの人達を思い浮かべてみて、あるいは観察して、どの指向が強いのかを見てみると、面白いですよ。人には潜在能力があるので、能力を引き出すという点からは、人の指向性を決め付けることは望ましくないと思いますが、指向性にフィットした仕事の場合に、より力を発揮することも間違いない事実です。皆さんも思い当たることがあるのではないでしょうか。

組織力強化のような変革を実施する場合には、Change Seekerがいないとうまくいかないそうです。アクションプランを立案することとともに、上記のような個人の指向性も踏まえて推進担当者を選択することや、だれに動いてもらえばアクションプランが迅速に実施されるかを検討することも重要なポイントだと思います。

サイバーエージェント社

インターネット広告という新たな分野を開拓したサイバーエージェントという会社の名前を聞いたことがある方も多いと思います。この会社が注目されているのは、単にインターネットの世界で新たなビジネスモデルを提示したというだけではなく、「働きがいのある会社」ベスト20社にも選定されている点にあります。事業だけでなく、組織を元気にする経営を実践している数少ない企業の一つと言われています。そのサイバーエージェント社でも2000年にITバブルが崩壊し、若い社員が次々と流出していた時期がありました。その現状を打破し、社員が活き活きと働ける魅力ある会社をつくるためにサイバーエージェント社が実施し、今でも継続している四つの仕掛けについて、ご紹介します。

第1の仕掛けは、ビジョンの提起です。企業に魅力がなく、人が流出してしまうのは、自分たちの思いが共有されていないからだと考えて、「21世紀を代表する会社を創る」というビジョンをかかげました。そして、「行動規範」を定めて、小冊子にし、全社員に配布しました。また、経営の流儀となるミッションステートメントを明文化し、トイレの鏡に映るように掲示しています。

第2の仕掛けは、社長・役員・マネージャーがブログを立ち上げていることです。このねらいは、お互いをよく知る、自分を知ってもらうということです。お互いに関心を持つ姿勢を組織全体が持つことが、社員間の日常のコミュニケーションにも大きな影響を与えることになります。

第3の仕掛けは、事業作りと人材作りをセットで考えるシステムです。入社間もない人でも事業アイデアが認められれば、事業責任者になり、チームをリードする存在になれます。人づくりでは、優秀人材の早期選抜を目的にした「CAバンヅケ制度」があります。これは、自薦他薦による優秀人材を見つけ出し、可視化する仕組みです。推薦者は、単に業績をあげているからではなく、品格や人間性なども考慮して選定しており、最終的には経営層や人事担当者からなる「ヨコヅナ審議委員会」で昇格者を決定しているそうです。その他にも、上司に分からない形で社内異動を希望できる制度もあります。

第4の仕掛けは、みんなで成果を褒め、喜びを共有する仕組みです。その中心になっているのが、社内用ポスターで、成果や活動を面白おかしく、社内に告知することで、それを見た人から「自分もああなってみたい」という気持ちを引き出す効果があります。

このような仕掛けを通じて、サイバーエージェントの社員は、自然にお互いに関心を持ち、一人ひとりの人柄、人となりを知ることが、チームとして働くための基盤作りだと考えるようになっています。そして、出来るだけ多くの人がクローズアップされる機会を作っています。ちょっとした主役感を実感できる場を作り出していくような取り組みが、この会社にいることの面白さや充実感を高め、人との関わり方を自然でかつ楽しいものにしていく体質を作り出しているようです。

さて、サイバーエージェント社の例に対比して、自分たちの職場の状況を見てみると、設計部では「一人ひとりがProfessional」というビジョンを定めています。（第1の仕掛け）次に、お互いをよく知るために、また社外からも認めてもらうために、プロ認定制度を実施し、名刺表示も行っています。（第2の仕掛け）そして、本部では四半期毎のＭＩＰ表彰を実施しています。（第4の仕掛け）徹底の度合いは違うでしょうが、似たような方策は実施していることがわかります。ただし、第3の仕掛けに対応するような具体策は見当たりません。

組織が専門的に分化し、さらにフラット化すると、組織間をつなぐ機能が不足しがちになります。つまり、「それは私の部の仕事ではない」という「協力しない」状況が生まれるようです。そのような状況を打破するためにも、サイバーエージェント社の成功例なども参考にして、活き活きとした職場作りの「仕掛け」を実施する必要があります。

ノー残業デー

一年ほど前に、社内のある部長さんから、「ノー残業デーを導入するのはどうですかね」と尋ねられたことがありました。これに対して私は、「何時までにどういうアウトプットを出すかを上司と部下で合意して、時間管理は部下に任せるのがいいと思います。また、可能な限り、仕事の進め方も部下に任せるのがいいと思います。私はこれを『性能発注』と呼んでいます。

ノー残業デーを決めても守られないし、モチベーションは低下します」と答えました。この点に関して、NPO法人日本タイムマネジメント普及協会の行本明説理事が『見える化で社員の力を引き出すタイムマネジメント』の中に、「水曜ノー残業デーの無策」と題して書いている文章を紹介します。

『長時間労働や残業時間短縮のために、「水曜ノー残業デー」や「残業業務の申告制」などを導入している企業があります。最近では、社内システムを一定時間でダウンさせる企業まで登場しています。本当に恐ろしい話です。これらの取り組みも、仕事のしくみを知らないことによる暴挙と言えます。短期的には、一定の成果をあげ、長時間労働の解消、残業時間の削減が可能かもしれませんが、長期的には、確実にその組織の力量ダウンにつながると断言させていただきます。

理由は簡単です。長時間労働、残業時間の増大の一番の理由は、残業代稼ぎではなく、「責任は果たす」だからです。これは、私たちの実態調査でわかったことです。

つまり、現状行われている、長時間労働や残業への対策の多くは、社員の「やる気」を間違いなく削いでいるのです。極論すれば、「水曜ノー残業デー」などは、「無責任に仕事をしてもよい」と社長が認めている制度と見ることもできます。大切なことは、「やる気」を維持しながら、効果的な「やり方」を編み出す知恵です。その意味では、「水曜ノー残業デー」に知恵は皆無です。

なぜ、「やる気」が低下してしまうのか？　それも「仕事のしくみ」に求めることができます。仕事には必ず「はじめ」と「おわり」があります。そして「おわり」は自分一人では決められません。必ず相手が必要です。この時間は、一般的には、組織（管理者）が管理することになります。しかし、もう一方の「はじめ」は、その仕事をやっている一人ひとりの個人にしか決められないものです。上司から「この仕事は3時間までに仕上げろ」と言われると何の抵抗もありませんが、「この仕事は3時から始めろ！」と言われるとカチンときます。つまり、「はじめ」は一人ひとりの個人に任せられているのです。

タイムマネジメントは、会社が社員を管理する方法ではなく、一人ひとりの個人が自分の仕事を管理する方法なのです。』

ワイガヤ主義

7月1日の朝礼で、本部長から「執務スペースが静かだと言う新入社員がいた。……みんなでワイワイガヤガヤやって、がんばりましょう」というお話がありました。その趣旨は、一つは営業・現業・技術が三位一体となって、ワイワイガヤガヤと議論を尽くし、意思統一を図って案件に取り組むということ、もう一つは、「皆が活き活き働ける職場をつくる」という今年度の本部の運営方針に通じるものであると理解しました。

さて、「執務スペースが静かだ」ということは、問題なことではなくて、私は当たり前のこと、好ましいことだと思っています。設計部は、お客さんへ提出する商品を作っている部署ですが、商品である計算書・検討書・図面などを作成しているときは、一人で集中して作業を行います。そこには会話はありません。この生産活動の割合が多いほど、生産効率は高くなります。会議は会議室で行うことが原則で、ちょっとした打ち合わせだけは打ち合わせ机で行っています。身近にいない社内外の人との情報交換は、直接話をした方が良い場合以外は、メールで行う方が電話よりも効率的なので、電話をかけることが減っています。実務者同士の会議では、ワイワイガヤガヤ討議をしています。このワイワイガヤガヤをオープンスペースでは行わないのが原則です。それは、一人で集中して作業している人に悪影響を与えるからです。

オープンスペースの執務室では、周りの様子が目に入り、耳から聞こえるので、仕事に集中できない弊害があると言われています。私はドイツで3年ほど働きましたが、ドイツの職場は一人か二人部屋です。私の部屋も二人部屋でした。同室者は、ドイツ人、アメリカ人、リトアニア人と代わりましたが、皆仕事に集中していました。昼も休まず仕事をする人もいます。二人部屋ですが、お互いにあまり干渉しません。二人がホッとしている時に会話をする程度です。アメリカの大学教授と同室になったときに、勤務時間の話になり、私は日本では平均して夜10時頃まで、1日12時間は働いていたという話をすると、「12時間も集中力が持続するはずはない。仕事の密度が違うのではないか」と言われたことがあります。その後、私もだんだんドイツ的になり、仕事をできるだけ集中して効率的に行う、残業は恥ずかしいことである、というような考え方が染み付きました。これは、今でも変わっていません。私は、残業していることに対してプラスの評価はしません。残業が、管理者の管理能力不足や本人の能力不足に起因している面が多いと思うからです。たとえば、勤務時間中に調べ物をしているというのは、プロフェッショナルとして恥ずかしいことです。調べ物は自分の時間を使って準備しておくのがプロフェッショナルです。プロのスポーツ選手が自分の時間を使って筋力トレーニングをしたり練習をしたりしているのと同じです。定時に帰るために集中して仕事をする、エンジニアリングスケジュールを守るために集中して仕事をする、そのための工夫をすることが重要だと思います。

10年以上前にワイガヤ主義が流行ったことがありました。その元祖であるホンダのワイガヤというのは、もともとは役員同士のコミュニケーションを深めることが目的でした。役員を大部屋に入れてワイガヤな雰囲気を作り、日常的に仲間意識を醸成しようとしたわけです。ところが、ワイガヤ主義を唱える経営者の多くは、一般社員を大部屋で働かせ、役員には個室を与えています。これは、本来のワイガヤの主旨とは正反対のやり方なのです。これに対して、集中できる時間や集中できる空間が業務の効率化に役立つことを認識して、「脱ワイガヤ化」を図る企業が現れてきています。たとえば、コクヨオフィスシステムでは、ワイガヤ的な部屋と会話厳禁の図書館のような部屋を用意して、どちらで仕事をするかを社員が自由に選べるようにしています。

商品を作っている我々の執務スペースに要求されるのは、「ワイガヤ的な空間」ではなくて、

「集中できる空間」だと思います。全員が個室で仕事をするようなレイアウトは難しいでしょうが、現社屋でも当初あったように、新社屋では執務スペースをパーティションで仕切るような環境を整えることも重要だと思います。

Work Life Balance

先週の19日はノー残業デーでしたね。これは、昨年度から11月の第3日曜日を「家族の日」、その前後一週間ずつを「家族の週間」とし、「家族・地域のきずなを再生する国民運動」が実施されており、この運動を受けて推進されたものです。

work life balanceという言葉を耳にするようになってきましたが、家族を大事にする、地域社会に溶け込んで活動するということは重要なことであると思っていたので、やっと日本もそういう方向へ動き出したのだなと感慨深く感じています。私が以前住んでいたドイツでは、自分の家から通えるところで職を見つけるというのが普通の考え方でした。単身赴任などはレアケースです。おそらくヨーロッパは大体同じなのではないでしょうか。これに対して、日本では、まず就職先を決めて、就職した後は仕事の都合で住まいを転々とするというのが一般的だと思います。ヨーロッパの人々は、日本人が想う「故郷」とはまた違って、今住んでいる住まいや住環境に対して強い愛着を持っているように思います。

皆さんご存じのようにドイツではサッカーが盛んです。「サッカーはドイツ人のためのスポーツだ」という言葉があるほど、サッカーはドイツ人のメンタリティーに合っていて、溶け込んでいるスポーツです。ところが、ドイツの学校にはサッカー部などというものはありません。そもそも学校には部活動が存在しません。では、どうやってサッカーを楽しんでいるかと言えば、地域社会にクラブチームがあり、そこで楽しんだり、鍛えたりしているのです。その他のスポーツや文化活動も地域社会で実施されています。

このようにドイツやヨーロッパの国々とは家庭や地域社会に対する考え方が違い、また文化が違うので、「家族・地域のきずなを再生する国民運動」が始まったといっても、ヨーロッパ並みになるためには、私の二世代後くらいですかね、だから数十年はかかるのではないかと思っています。また実現させるためには、このような考え方や価値観のシフトとともに、教育制度や社会の仕組みなどを一つ一つ改善することが重要です。国民の考え方や文化を変えようとする運動ですから、時間がかかります。

さて、このような推進すべき運動に対して、当社が実施したことが「ノー残業デー」の推進だったことにはがっかりしました。「家族の日だから、残業をしないで早く家に帰りましょう」という短絡的な考え方は、実務を知らない人の発想と言われても仕方がないでしょう。自分に任せられた仕事の時間配分に関して、その内容を知らない人から「残業するな」とか「なぜもっと早くできないのか」などとやかく言われることは、間違いなくやる気が削がれて、結果として業務の効率が低下し、トータルの残業時間は増加することになるでしょう。時間配分については、当事者が決めればよいことです。

「家族・地域のきずなを再生する国民運動」に対して当社が実施するアクションとしては、たとえば、組織の階層構造を減らして不必要な説明などに時間を割かれないようにするとか、連続して一カ月の有給休暇を必ず取得する制度をつくるとか、給料を残業代込みの年俸制にするとかの方がまだ正しい方向だと思います。また、この運動を推進するためには、国や自治体が地域社会の活動に対して援助するということも重要だと思います。

日本企業の特徴

先日読んだ本に、「日本の企業が不祥事を起こしやすい五つの理由」がまとめられていたので紹介します。なるほどなと感じることが身の回りでもありますので、読んでみて下さい。

(1) 日本人と法の関係

日本の近代法成立の経緯や、近代法の基礎となる契約という考え方が社会の基本原理となっていないこと、また、日本人は立法の当事者であるという意識を欠いているため、現行法に親しみを感じておらず、法を守るということはタテマエになっているに過ぎない。そのため、便宜や利益のために法を蔑ろにする傾向が見られる。

⑵ 関係的主体であること

日本人は対人関係を最重視し、状況に対応して行動する。このため、社会を形作っているのは「契約」ではなく、「話し合い」であり、社会的正義の絶対的な基準は存在しない。「正しさ」は常に状況対応的であり、また、いくつも存在することになる。

⑶ あらゆる組織が共同体化する

自我を支える一時的集団（家族、親友）と二次的集団（会社などの組織）との境界がないため、会社の中においても情緒的な結びつきを求め、親分―子分（親子）、先輩―後輩（兄弟姉妹）のつながりが強固な連帯基盤となり、情緒的サークルを作りがちである。このため、目的を遂行するための組織である会社は、同時に、「共にある」ことに意味がある共同体の性格を併せ持ち、社員は強い身内意識で結ばれ、共同体の維持・存続を強く志向し、外部世界に対しては無関心、冷淡になりやすい。

⑷ 「会社の掟」が存在する

経営幹部、上司、先輩などによって繰り返し示される言動、態度によって形作られ、会社の歴史を反映し、個別的であり、明示されることのない社内ルール、すなわち「会社の掟」が存在する。従うべきルールとして法規定、伝統的規範（道徳など）、「会社の掟」が存在しているのだが、会社員にとって最も優先すべきルールは「会社の掟」であり、時に法規定や伝統的規範から逸脱することも意に介さなくなる。また、会社が「イエモト」型組織であるため、現場長は一定の裁量権を持ち、その権限内で「会社の掟」にきわめて忠実に従った結果、暴走して会社の危機を招くことがある。

⑸ 目的と手段の逆転

成長するに従って、設立当初の「社会に有益な財・サービスを提供する」という目的が忘れられ、会社が手にした強大な手段（資本、設備、従業員、ノウハウなど）の活用に腐心するようになり、手段を活用するために目的を探すという、目的と手段の逆転現象が起こる。この段階では、会社、従業員ともに安定志向が極めて強くなっており、会社の維持が最優先され、そのために当面の利益確保が至上命題となって、企業犯罪を誘発しやすい。

中でも⑸は特に注意が必要だと思います。「受注目標達成」「利益確保」「従業員の生活を守る」ということばかりを経営幹部が言っているような体質だと、結果として企業犯罪に結びつきやすいということです。本来の建設会社の使命である「人々が安全に安心して生活や事業活動ができる環境を提供すること」を常に意識して、仕事をしていきたいと思います。

人材登用

『賢を尊び能を使い、俊傑位に在れば、即ち天下の士、皆悦びてその朝に立たんことを願わん。』という孟子の言葉があります。その意味は、「賢者をねんごろに扱い、有能な人材を登用し、すぐれた人物がそれにふさわしい地位を占めるなら、天下の俊英は、みな喜んでその国の政治に参加したいと願うだろう」ということです。

まずは、この言葉についての解説が本にあったので、紹介しましょう。

『ここに天下の士が注目している都市国家の朝廷があるとする。そこでは、賢才として名の通っている人材が丁重に扱われてしかるべき地位にあり、有能であると評されている人物が登用されて重要な役割を果たしているとする。その政治方式を遠くから見れば、天下の俊秀はみな喜んで馳せ参じ、その国の政治に参画したいと願うであろう。孟子の人材を集める方策である。どこかの朝廷が人物を求めていると世間に吹聴するだけでは、誰も信用して近寄っては来ないであろう。

人材は外にいるのではなく、内において、いつか手腕を発揮したいと望んでいるものなのだ。そこに着目して、実際に有能な人物を大切にしているという風儀を現実に示せば、求めずとも天下の俊英が我先にと集まってくるに違いないですよ、という意味の君主に対する建言である。国内にあって、すでに機会を窺っている在野の士を登用せず放っておいて、いたずらに外に向かって人材を求めても効果はありませんよ、と諫言しているのである。

現代でも、わが社に人材がいない、と嘆く経営者を見かけるけれども、それは、孟子によって諷諫されているタイプに属する。人間が有能であるかどうかは、天眼鏡を当てて眺めてみても見当はつかない。人は能力を発揮できる立場に置かれてこそ、初めて有能であることがわかるものである。人材がいないと愚痴を言う経営者は、社内にいる人物を信用して次第に重要な位置につけ、辛抱強く、その人の成長を見守るべきである。見たところ何の変哲もない普通の人物でも、自分が期待されていると感じると、かくれていた才能が自然に発芽して、手腕を発揮するようになるものである。良き指導者は、近くにいる人物の才能を開花させる具眼の士なのである。』

私もこの解説に同感します。人には多くの潜在能力があるので、その能力をいかに引き出すかが上職者の役目だと思っています。「あいつはそういうタイプだから」とか、「彼にはその役割は無理だ」とか、人の行動や能力を決め付けるような発言をする人を時々みかけます。そういう発言を聞くたびに「この人は部下の能力を引き出そうとしていないのだな」と思い、残念になります。初めての経験だけど、チャレンジして、周りの予想以上の活躍をしている人は枚挙に暇がありません。新しいことにチャレンジする機会を与えることによって、潜在能力を開花させることができます。特に自分の部下を型にはめてとらえたり、先入観を持って対応したりすることは、厳に慎みたいと思います。

横山清和さん語録

今回は、リクルートワークデザイン研究所の所長だった横山清和さんの語録を紹介します。横山さんは、リクルート関係者の間では最も有名な「マネジメントの巨匠」で、仕事やマネジメントの悩み相談、人生相談に訪れる人が後を絶たないという存在だそうです。経営コンサルティングにおいて、リクルートは数々のソリューションプログラムを開発していますが、それらの中でも顧客から「内容も価値も研修のロールスロイスですね」と評価されている「メガネプログラム」や「プロフェッショナルプログラム（プロ研）」は、横山さんが開発したものです。

そんな横山清和さんの語録を紹介しましょう。

- 組織とは入ってきた人に夢や価値を提供する機能を持っているもの
- マネジメントの核心はメンバー・チームの中に誇り、自信、信念を養うこと
- 一条の光が信じられない大衆がいるからこそ、リーダーが必要
- リーダーシップは人間に内在しているものではなく、相手が付与してくれるもの
- リーダーとはメンバーの中に「価値ある仕事に取り組んでいる」という実感を創造する人

■互いが互いにリスクをかけるスタイルでないと本気は出ない。その関係にならない限り連帯は生まれない
■流されるのでなく、自分が漕げる人になる
■問題は解決される人のところにやってくる
■大事だからやるのではなく、楽しいからやる

それぞれに、思い当たることのある含蓄のある言葉だと思います。皆さんも自分の身や立場にあてはめて、行動の参考にしてみて下さい。

私がこれらの語録を見て感じたことを少し紹介しましょう。『「価値ある仕事に取り組んでいる」という実感を創造する』というのは、設計部で言えば「設計部ビジョンを共有する」ということだと思います。『大事だからやるのではなく、楽しいからやる』というのはモチベーションアップには欠かせない心構えですね。「明るく楽しくやろう」という設計部のモットーと同じです。『問題は解決される人のところにやってくる』ということを実感している方もいると思います。特に、自分の専門分野において認められる存在になると、社外の人から問い合わせや依頼が来るとともに貴重な情報が勝手に舞い込んでくるようになります。若い方々には、そんな状態になっている自分の姿を思い描いて、自分の専門分野の技術力に磨きをかけて、社外の人脈を作る努力を継続していただきたいと思います。

時間という資本

福島第一原発の事故による電力不足の影響が身近に起こっています。エアコンを使うことを前提に建てられたオフィスビルでエアコンが止まると、執務環境が著しく低下することは想像に難くありません。個人の家ならエアコンなどなくても十分生活できるだろうと思います。40年ほど前までは、クーラーのない生活をしていたのですから。しかし、科学技術が進歩して出来上がってきたオフィスビルでは、昔の生活に戻ることが難しくなっているのではないかと思います。

計画停電を経験し、職場の節電状態を見ると、改めて「電気を浪費してはいけないこと」を考えさせられます。節電の方策はいくらでもあり、その効果は金額に換算しやすいので、関係者の意識も高まりやすいと思います。節電に端を発して、各所でムダを省こうとする取り組みが行われてくるのではないかと思います。このような省エネやムダを省く取り組みは、日本企業でよく見られます。日本人はこのようなパフォーマンスで満足する傾向があるので、取り組みの中には実際の成果が検証されないまま続けられているものもあるようです。

たとえば、「コピーの裏紙を使う」という取り組みがありますね。これも検証せずに取り組んでいる職場がありますが、実際にはかえって多大なコストが発生していることが明らかになっています。その原因には次のようなものが挙げられています。

- 使用済みコピー用紙を分類するための箱を置くスペースの賃料
- 使用済みコピー用紙の分別時間と、ホチキスの針を外す作業時間
- ホチキスの針を外す作業中に、指に怪我をした場合の治療時間
- 表裏を間違ってコピーした場合の再コピー代
- 表裏の勘違いによって生じる二重処理、未処理の問題
- お客さまからの信用の失墜
- 使われなくなった裏紙をメモ用紙に作り直す作業時間

「ムダを省く」とか「コスト削減」の取り組みにおいては、「もっともらしい話」を決して鵜呑みにせず、その効果をきちんと検証した上で実行・継続する必要があります。

「会議は1時間以内に終わらせましょう」「電話は1分以内に切りましょう」などという取り組みも、実際にどの程度の効果があるのか、検証されることはまずありません。「机から長時間離れるときは、パソコンの電源を落としましょう」「ボールペンは芯だけ替えましょう」「夏場はエアコンの設定温度を28℃にしましょう」などなど、効果の検証がなされることのないパフォーマンスはいくらでも挙げられます。「社内でコスト削減プロジェクトなるものが活動しているが、そのプロジェクトの費用対効果が考えられていない」という笑えない話もあります。

ムダを削減するということは、コストを削減することに繋がります。コストを削減するために、色々な方策を実施していると、いつの間にか、「コストを削減すること」が目的だと勘違

いするようになるので注意が必要です。コスト削減は手段にしかすぎません。では、コスト削減の目的は何か？　それは、「時間を作ること」であり、企業にとっては「時間という資本を生み出す」という極めて戦略的なことである、と言われています。「時間こそ会社の最大の経営資源」であり、「時間は会社の最大のコスト」であるとも言われます。タイムマネジメントの重要性を認識して活動したいと思います。

チェンジ・リーダー

以前のWeekly Mailで、「強い者が生き残るのではない。変化できる者が生き残るのだ」という話を紹介しました。グローバル化、情報化時代の中で、様々な変化に対して、個人としても、また企業としても迅速に対応し、適切な変化をしていかなければなりません。今の時代を生き残っていくためには、変化をチャンスとして利用できる人材が必要です。『もしドラ』で、また脚光を浴びたドラッカーは、そのような存在を「チェンジ・リーダー」と呼んでいます。ドラッカーの言うチェンジ・リーダーの四つの条件について紹介しましょう。

①捨てる勇気をもつこと

いままでのやり方を検証し、「今から始めるなら選択するか？」をゼロから問う。答えが

「ノー」ならそれをきっぱり捨てる。商品、サービス、工程、市場、流通チャンネル、顧客など、あらゆる面で常に問わなければならない。

②カイゼンを続けること

商品、サービス、工程、マーケティング、アフターサービス、技術、教育訓練、情報などあらゆる面で体系的、継続的にカイゼンを続けていくこと。

③成功を常に追求すること

失敗事例、問題点ばかりにこだわって分析するのではなく、予想外に成果が上がったケースを同じ程度に検討する。そこには大きなイノベーションに通じるチャンスが隠れている。

④イノベーションを率いる

会社や部署のトップがチェンジ・リーダーとして振る舞えば、その組織には、自然とイノベーションが生まれる機運が高まってくる。その意味で、これは条件というより結果である、とも言える。

これらの中で特に重要な①と③について、少しコメントします。

①について：当社の売り物である技術者の人数が限られているのですから、いかに効果的にその技術者を活用するかを常に考えて行動する必要があります。取り組むべき市場・案件と捨てるべきものとを判断するだけではなくて、日常業務の中で不必要な時間を取り除くことも重要だと思います。無駄な会議をなくす、そのために組織をスリム化する、などもこの範疇に入

ると思います。

③について：最近、安全上・品質上の不具合の話が多いですね。不具合の数が増えているからと言えばそれまでですが、そのようなネガティブな事項とは反対に「工夫して上手くいった」とか「新しい情報筋ができた」といった類いの前向きな話があまり幹部から伝わってこないのは残念なことです。成功事例や成果が上がりそうな事例を取り上げて、より深く分析するような活動をしていく必要があると常々思っています。このようなポジティブな取り組みは、関係者のモチベーションアップに効果的です。これこそ、チェンジ・リーダーの重要な役割だと思います。

窮屈で楽しくない会社

『日本には窮屈で楽しくない会社が多い』と言われています。日本では「会社は耐える所である」とあきらめている人が多いようです。このような会社全体の雰囲気を作り出している原因の多くは経営レベルにあることは間違いありません。そこでまず、『窮屈で楽しくない会社』を生み出している経営レベルの六つの生活習慣病を紹介しましょう。

①「禁止事項」が多い

（何でもかんでも管理・統制強化では、働く人は息苦しく、本来の仕事もやりにくくなる）
②現場の生の声を知らない
③経営者だけが特別ルール
（たとえば、上司からは報告を求められるが、上司が決定したことに関する説明・連絡がない）
④悪い情報が隠される
⑤何でもかんでも「革新」しようとする
（「変えるべきもの」と「変えてはいけないもの」が整理されていない）
⑥前年対比ばかりで、将来のビジョンがない

「自分の会社は大丈夫だ」と思った瞬間から、その会社は劣化が始まっていると言われています。「うちの会社に限っておかしな職場はない」と思い込むことは危険で、「もしかすると気がついていないだけかもしれない」と思って自らを振り返る必要があります。

働きがいの高い会社では、従業員の潜在能力が発揮され、チームワークの中で高品質の商品やサービスが生み出され、顧客への対応が良くなることで顧客満足度が高まり、結果として会社の業績が向上していきます。ある経営コンサルタントが、海外２００社以上の会社を訪問し、働きがいのある会社に共通する文化をまとめた文章がありましたので、その項目だけを紹介し

ます。

①価値観を共有できる人を採用する
②ワークライフバランスを徹底している
③ダイレクトな対話がある
④ＦＵＮ（楽しさ）を追求している
⑤ユニークさと元気がある
⑥認め、感謝し、称える
⑦家族のような温かさがある
⑧明快な哲学が浸透している
⑨つねに他社に学んでいる
⑩強い愛着心がある
⑪多様さを歓迎する
⑫たゆまない向上心がある

さて、我々の職場の文化はどうでしょうか？
不足していることを補うために、あなたは何を実行しますか？

人財を活躍させるには

「シスコ」という会社名を聞いたことがあると思います。正式には「シスコシステムズ合同会社」と言い、1992年の設立以来、ネットワーキングのリーディングカンパニーとして進化を続け、昨年は、日本経営品質賞大規模部門賞を受賞しています。社長の平井康文さんの組織運営に関する考え方に共感できるところがありますので、いくつか紹介しましょう。

まず、シスコにおけるキーパーソン（原動力）について、平井さんは次のように言っています。

『シスコシステムズの役割は、いかにネットワークを活用して日本を元気にできるか、ということだと思っています。そのようなイノベーションを生み出すために焦点を当てるべきは「人財」だと考えています。特に中間管理職、つまり現場に近く、かつ経営ビジョンも理解している層、そこが一番の原動力です。』

当社は、技術力を商品として商売している会社ですから、まさに「人財」が経営資源である点は同じです。その中で、中間管理職をいかに活性化させるかが経営の鍵だと平井さんは考えているということです。私もその通りだと思います。中間管理職が活き活きと活躍できる環境を整えることが、当社の進化に繋がっていくのだと思います。

次に、組織運営に関して、平井さんの考えていることを紹介します。

『私は、組織というのは常にダイナミックに変化していくものだと思っています。最近、私が良く使うのが、「野球型組織からサッカー型組織へ」という表現です。優れたサッカーチームのように、ネットワーク型の組織編成のなかで、リアルタイムに戦略を修正しながら個々の力を最大限に発揮できる、その結果、ものすごく大きなパワーを生み出すというものです。』

つまり、社員一人ひとりが、その時々の状況を見ながら、適切なジャッジをすることができるために、ジャッジメントという役割がトップ以外にも配分されている組織を目指しているわけです。

『社長も一つの役割に過ぎないと私は考えています。ですから弊社には従来の階層型組織図はありません。あるのは、私がいてその周りを各リーダーが囲んでいる円形になったネットワーク型の組織です。その結果、現場に判断をゆだねることができるのです。』

現場と経営ビジョンの両方をよく分かっている階層が、自分の判断で迅速に行動できるような組織運営は非常に重要です。反対に、従来の階層構造を維持し、さらには、人をポストで処遇するために屋上屋を重ねるような企業は衰退の坂道を転げ落ちていると認識すべきでしょう。

『立場が上だから能力も上だと錯覚をして、愚かな意思決定をしてしまうが、周りの人達も何も指摘しない』ということが頻繁に起こってしまうのです。

『社長も一つの役割に過ぎない』という考え方は、ヨーロッパでは当たり前のことです。課長なら課長、社長なら社長、それぞれの立場で役割を果たしているわけで、課長と社長との間に、仕事の優劣などはないのです。そのような基本的な考え方をしっかり共有できれば、『社員一人ひとりが、その時々の状況を見ながら、適切なジャッジをすることができる』ようになるでしょう。シスコシステムズのような新しい会社では、経営者がちゃんとしていれば、他の会社の衰退の状況などを学習して、中間管理職が活き活き活躍できるような新しいタイプの組織を作っていけるのだと思います。

7

人財育成・採用

東大での講義（その1）

先日、東京大学工学部社会基盤学科（旧土木工学科）の2年生に「国際プロジェクトの実践」という講義をしました。昨年から90分の講義を1回しています。台湾新幹線を題材にして、構造物を建設する手順を説明することが、主たる内容ですが、これから土木工学を勉強する学生なので、次の点を強調しました。

①大学の講義は全て実務に役立つ（何に役立つか分からない場合は、先生に質問すること）
②人類が生存する限り、建設業はなくならない（自動車産業やＩＴ産業などは破壊的イノヴェーションで消滅するかもしれないが）
③建設業の使命は、「人々が安全に安心して生活（事業）ができる環境を提供すること」
④建設市場は（周辺事業も含めると）拡大している
⑤建設業は電気・機械など、他の技術を統合する力を持っている
⑥土木技術者として高い意識を持って国際社会で活躍して欲しい

かなり熱く語ったので、多少は学生の琴線に触れてくれたと思います。

質問は結構出ました。「英語は必要でしょうか？」とか「外国の人とは友達になれましたか？」とか可愛い質問もありました。

私が出したレポートの課題は、次の通りです。

一つの国または地域を採り上げ、以下の設問に対して自分の考えを述べよ。
①そこに必要とされる土木施設は何か？　なぜその施設が必要か？
②10年後に自分がその施設の建設プロジェクトに携わることになるが、それまでに自分は何をやっておくべきか？
③その地域の持つカントリーリスクは何か？

ともすれば毎日の業務に流されがちですが、5年後・10年後の自分の姿を描いて、それに向かって小さな積み重ねを続けることが大事だと思います。

嬉しいこと

先週、来年就職を希望する学生9人と話す機会がありました。こちらの方から、当社の話や自分の経験などを紹介した後に、学生たちからも質問をしてもらいました。会社に関する質問がほとんどなのですが、ベトナム人の留学生から、「あなたが嬉しかったことは何ですか？」という質問がありました。なかなかいい質問だと思いました。

この質問に対して、現場経験の長かった人は、「施工を無事完了した時の達成感を関係者みんなで共有したこと」などを答えていました。私も、仕事が完了して、お客さんから満足してもらえた時は嬉しいという話とともに、一例として、自分の恩師が台湾新幹線の施工現場に来て、「きれいなコンクリートだね」と言ってもらった時に、恩返しができたような気がしたという話もしました。そして、私が今個人として嬉しいと思っていることは、「社外の人から、信頼性設計法の専門家として認められ、技術的な相談を受けたり、講演を依頼されたりして、声をかけてもらうことです」と説明しました。

この「嬉しいこと」に関連して、今週は、東京都の30代の技術者20名の研修で「信頼性設計法の基礎と実務への適用」について講義をし、また地盤工学会のＩＳＯ関係の委員会で性能設計の専門家15名に対して「設計基準の部分係数の設定法」について講演します。私は準備にはできる限りの時間をかけます。それは、話を聞いてくれる人に、私の熱意を伝えたいからです。熱意が伝われば、信頼性設計法をポジティブに理解し、活用してくれると思うからです。

皆さんにとって、今嬉しいことは何ですか？　あるいは、どんなことが実現すれば嬉しいと思うでしょうか？　そのためには、今何をすべきでしょうか？　ちょっと考えてみると、新しい一歩が踏み出せると思います。

東京都技術者研修

先週、お台場のテレコムセンタービルにある東京都研修所で、東京都の技術職員20名に「信頼性設計法の基礎と実務への適用」について、3時間の講義をしました。

東京都研修所は、そのビルの4フロアを占めており、かなり広いスペースです。担当の方に伺ったところ、テレコムセンタービルは、当初はほとんどの電話会社などが入っていて活気があったそうですが、それらの会社が次々と退去していき、現在では、がらがらになっているとか。東京都研修所も4フロアを占めてはいるものの、4月の新人研修の時以外は稼働率がかなり低いようです。

私が関わった「高度技術研修」は、毎年30代の技術系職員20名を選び、月に2日のペースで1年間行っています。研修を受けている方に伺ったところ、かなり負担になっているようでした。ただし、一緒に仕事をすることがない人とも同じ研修仲間になって、人脈が広がるのが良いという話もありました。他にも色々な研修が実施されており、効果のほどはわかりませんが、東京都が職員教育にかなり時間と金をかけていることがわかりました。研修担当の方は、「技術力が足りない行政技術者にとって、行政の事務屋と民間技術者の狭間で、立ち位置を考えていかなければならない」とおっしゃっていました。

今回「信頼性設計法」がテーマとして選ばれたのは、東京都港湾局のHさんという方が、自分で調査して、「信頼性設計法は、今後の設計基準の主流となるので、東京都の技術職員も、その概念を習得しておく必要がある」と推薦したからです。私が社外で信頼性設計法関係の講演を引き受ける第一の目的は、「信頼性設計法に興味を持って一歩踏み出してくれる人を増やすこと」です。そのためには色々な刺激が必要なので、近々開催される二つの会議を紹介しました。

一つは、４月19日に日本学術会議で開催される「第53回構造工学シンポジウム」（参加無料）です。その中で、構造設計の国際標準に適合したCode Platformに関する講演や、土木・建築に共通の荷重指針のパネルディスカッションがあるので、都の職員の方には是非参加して欲しいとお願いしましたが、この講演やＰＤには私達の部の皆さんにも是非参加して欲しいと思います。「設計基準の国際整合」という要求に対して、今何が行われているかを正確に知る、またとない機会です。プログラムを添付しますので、都合をつけて参加してみてください。

もう一つは、信頼性設計に関する国際会議ICASP10で、７月に東大柏キャンパスで開催されます。それに参加すれば信頼性設計に関わる最新状況を把握できるので、こちらも是非参加して欲しいとお願いしました。

これらの会議場で、「藤田さん」と声をかけてくれる今回の受講生がいてくれることを期待しています。

リクルート

4月になり、18日には3名の新入社員が配属になります。また、先週は来年の新入社員の面接試験が行われました。私はリクルーターではありませんが、リクルーターをしている人の様子を見て、また学生と話をしてみて、最近感じたことを話したいと思います。

リクルーターが当社を学生に説明する時に、「構造物を造ることによって世の中の役に立っている」、「現場が活躍の場」、「構造物ができたときの達成感」など、現場でのもの造りを強調してきました。このような説明に対して、最近の学生の殆どはピンときていないように感じます。その原因は、①大学で構造物を造ることを学んでいない、②大学ではハード（構造・材料など）よりソフト（計画・景観など）の講義・研究が多い、③自分はある程度専門家であり、その分野に関する仕事をやりたいと思っている、などがあるように思います。

このような大学生の現状では、「現場でのもの造り」を強調するだけでは学生の気持ちをとらえられないのだと気づきました。一方、社内を見てみると、実は色々な仕事をしている部署があります。情報ソリューション、生態系ソリューション、プロポーザル本部、投資開発本部などです。たとえば、学生が交通計画をやりたい、都市計画をやりたい、景観をやりたいと言ったとすれば、その種の仕事は既に当社の誰かが手がけていることが多いことを念頭に置いて、学生に説明する必要があります。そして大事なことは、今の学生が先頭に立って当社を引っ張っていく30年後には、現在では考えられないような周辺事業でも高い収益を上げているかもしれないし、客先の事業や行政の都市計画を提案・推進するような事業が中心になっているかもしれない、ということです。

私が思ったことは、現在のように「もの造り」を強調するだけではなくて、「当社は色々な分野の仕事をやっている」、「君の時代には、今君がやっている専門性もきっと活かせるはずだ」というように、学生の目線に立って話をする必要があるということです。そういう意識がないと、学生の建設会社離れに歯止めをかけられないのではないでしょうか。

実は、このことは学生だけの話ではなく、新入社員や若い社員にもあてはまることだと思います。現状維持では、会社は衰退します。軸足を建設に置きつつも、周辺事業の拡大や、請負からプロポーザル型への事業拡大なども視野に入れた事業戦略が重要だと思います。大学のカリキュラムがハードからソフトへ移行していることに顔をしかめるのではなくて、このような世の中のトレンドを掴み、遅れている自分達を反省すべきなのかもしれません。

東大での講義（その2）

今年も残すところ1カ月になりました。浜松町駅から会社までの道沿いの銀杏の黄色と桜の紅葉が綺麗ですね。先週、東大に行きましたが、銀杏の名所だけあって、非常に見事でした。

東大では、年に1回、「国際プロジェクトの実践」という科目の中で、台湾新幹線プロジェクトの話をしています。私が話の中で強調しているのは、次の4点です。

①大学の講義は全て実務に役立つ
②技術は現場にある
③建設業の使命は、「人々が安全に安心して生活（事業）ができる環境を提供すること」
④高い意識を持って国際舞台で活躍して欲しい

講義の終わりには、いつも八田與一の話をしています。今回の学生は八田與一の丁度100年後輩になります。自分たちの100年先輩で、今でも台湾の人々に非常に尊敬されている人がいることが、少しでも彼らの心に残ってくれればよいと思って話をしました。

講義の後は25分くらいの質疑応答をします。学生からの質問の主なものを、私の回答と合わせて紹介します。

■Q「私がもし建設会社に入っても、配属部署によっては海外に行かないということもあるのでしょうか？」（国際プロジェクトコースの学生なので、当然海外に行きたいと思っている）

A「君なら100％行きます。私は、最近の新入社員には、『君たちは2～3回は必ず海外に行く』と言っています。海外を希望すればすぐ行けるので、心配はいりません。」

■Q「日本の建設会社は、国内中心に仕事をしているように思いますが？」

A「受注額ベースで、A社だと40％くらい、当社でも20％くらいが海外工事です。海外の方がコストが安いので、工事量でいうともっと大きな割合になります。A社だと50％を超えているでしょう。ただし、人数の割合はもっと少なくなります。」

■Q「大学の授業が実務で役に立つということですが、どのようなことが役に立つのでしょうか？」

A　土質・コンクリートの他、水理学・地震工学・構造力学・河川工学・海岸工学・景観工学など色々な例を挙げて説明

講義を終えて校舎を出ると、昔と変わらない大きな銀杏の木が素晴らしい黄色を見せてくれていて、学生時代がついこの前のように感じられました。

上司の介入

最近読んだ本の中で、普段自分が考えていることをうまく表現しているものがあったので、紹介します。

『部下が順調に進めている仕事を上司がコントロールしようとするのは、絶対に慎むべきである。上司は豊富な経験を積んでいるから、部下が問題なく進めている仕事であっても、横から見ていれば「こうすれば、もっとうまくいくのに」と気づくことが多々あるだろうとは思う。しかし、そこで上司に口を出されると、部下は急速にやる気を失うものだ。

上司から仕事を任された部下は、厳しいデッドラインに四苦八苦しながらも、それなりにやり甲斐を感じている。デッドラインさえ守れば、仕事のやり方は自分の思いどおりにできるのだから、楽しくもなるだろう。仕事を楽しめば、効率も上がるはずだ。

ところが、そこに上司が口を出してくると、自分の意思で積極的に取り組んでいた仕事が、いきなり「やらされている仕事」になってしまう。そうなると効率は下がるし、後回しにもしたくなるだろう。「もっとうまくいく」どころか、せっかく順調に進んでいた仕事が停滞してしまう可能性のほうが高い。上司が良かれと思ってやったことが、裏目に出てしまうわけだ。

したがって、自分の仕事に手ごたえを感じている部下にとって、一番の褒美は「上司が何も言わないこと」なのだと心得ておいて欲しい。特に問題のない仕事に関しては、「チェック」をするだけにとどめて、「コントロール」しようとはしないことだ。

ただし、「全部おまえらに任せたから」と言って、部下を信用しすぎるのも考えものである。デッドラインに遅れたり、進んでいる方向が間違っていたりする仕事があったら、上司は徹底的に介入しなければいけない。

特に方向性のズレをきちんと見極めることが大切だ。デッドラインに関しては、守られているかどうかは一目瞭然だが、方向性のズレはうっかりしていると気づかない。完全に間違ってはいないが、必ずしも正しいとは言えないような「グレーゾーン」に入っているものもある。上司としては、どこまでが許容範囲で、どこからが「アウト」なのか、はっきりとした基準を自分の中で決めておくべきだろう。』

部下を持つ人には、思い当たるところがあるのではないでしょうか？

必要以上の介入が、部下のモチベーションを低下させることは事実であり、避けなければなりません。また、上司やチェッカーなどの中途半端な介入によって、無駄な時間を使い、言われたままにやった部分的な修正が成果品の品質を低下させてしまうこともあります。組織の重層化がこのような悪い状況をもたらすことが多々あります。

一方、成果品の作成責任者は、「上司や周りの人の意見に従う」というのではなくて、「決めるのは自分だ」ということを意識して、周囲のアドバイスに耳を傾けてもらいたいと思います。

国民の教育

昨日は、衆議院議員選挙がありました。日本で現在のような選挙制度になったのは最近のことですね。婦人に参政権が与えられ、誰でも選挙できるようになり、期日前投票もできるようになりました。また、海外にいる邦人が選挙できるようになったのは、つい最近のことです。折角の選挙ですから、棄権などしたくないものです。昨日は、今まで投票したことのない娘と一緒に選挙に行きました。

私が政治家を評価するときに最も重要視しているのが、「教育」に関してどのような取り組みをしようとしているかということです。この考え方は20年くらい変わっていません。経済・社会保障・国際関係など重要な課題はたくさんありますが、最も根本にあるのは「教育」だと思います。日常茶飯事のように起こる不祥事、雇用の問題、などなど、おそらくほとんど全ての課題に「教育」の質が関係しています。大事な「教育」ですが、私の地元の選挙区で「教育」について公約している候補者は一人しかいませんでしたので、躊躇なくその人に投票しました。マスコミで取り上げられているようなキーワードを並べている候補者が多いですね。

私が「教育」について考えさせられたのは、ドイツの教育制度を知ってからです。ドイツに住んでみて、まず驚いたのは、小中高はもとより、大学や専門学校もほとんどが公立の学校で、授業料は全て無料だということでした。専門学校にはありとあらゆる業種があります。パン屋・肉屋・ガラス屋・宝石職人・靴屋などなど。国が国民を教育するという基本的な方針が感じられます。また、入学試験はありません。そもそも入学試験がある国は非常に少ないのです。入学試験がないので、予備校や塾の類いの補助的な教育機関はありません。教育は通学している学校で行うことが基本となっています。

他にも色々ドイツの教育制度には特徴があるのですが、ドイツの実情を知って日本の現状を見ると、小中学校の教員の質の低下、授業料の上昇、塾などの教育費の負担増などが特に問題だと感じました。そこで、私は、国公立の学校の入学試験を止めて、その前に所属している学校の内申書で次の学校を決める仕組みが良いと思いました。そうすると、入試のための予備校などにかかっていた教育費が不要になるから、その分を税金に回せることになります。その税金を使って小中学校の先生の給料を出来るだけ高くします。そうすると大学生は敏感なので、教員を目指す学生の競争が増し、結果として教員の質が高まっていきます。また、税金を使って国立の職業専門学校を充実させていくことが必要です。一方で、予備校がなくなり、仕事にアブれる予備校や塾の教師達は、職業専門学校での教育へシフトしていくことができるのではないでしょうか。こんなことを20年前から考えていて、早く書きものにして世に出そうなどと思っているうちに、時間が経ってしまい、時期を逸してしまいました。でも何とか「国が国民を教育する」という意識を醸成させていきたいと思い、「教育」を公約に挙げている政治家に期待しているのです。

経済・社会保障・国際関係などの重要な課題は、当社で言えば、施工の品質確保、技術的な提出書類の品質確保、受注・利益確保などの目標に相当するのだと思います。そして、根本的な課題である「国民の教育」は、設計部で言えば、技術力向上やモチベーションアップに相当する普遍的なものです。国づくり、組織づくりには、この普遍的な課題に対する風土づくりが非常に大切だと思います。

一分間面接

今回は、マイクロソフト社の元社長・成毛眞さんの社員の採用についてのお話を紹介します。面接試験と言えば、普通は、四〜五人の面接官が並んでいる部屋に、受験者が一人ずつ、あるいは四〜五人くらい一度に呼ばれて質疑応答をし、十五分から二十分くらいをかけて判断することが多いと思います。このような面接方法に対して、マイクロソフト社では、採用の面接をするときに、各部屋に一人ずつ面接官がいて、必ず一対一で面接をするそうです。しかも採用すると決めるまでの所要時間は約一分。五分以上迷う場合は採用しないというルールを取り決めているとのことです。そして、「一対一、一分間面接」での成功率は約20％、五分以上迷っても採用していたころの成功率は5％と、圧倒的な差があったと言います。

成功率20％というと低いような気がするかもしれませんが、もともとマイクロソフト社では、「使える」と呼ばれる人の水準が半端ではありません。「すごくいいアイデアを出して、莫大な利益をもたらす人」というように、その水準が非常に高い所に設定されているので、十人採用したら二人が会社の莫大な利益につながる人材だったということは、かなり高い成功率だと言えます。

それでは、一分間の面接で何がわかるかと言えば、その人の体から発せられている情報だそうです。一分で自分の経験の全ては到底語れませんので、採用の決め手となるのは、その人の身体にしみ込んでいる雰囲気ということになります。成毛さんの言葉を借りれば、「活き活きとしていて、判断力があって、機転がきくか、変化に強いかどうかなど、そうしたパーソナリティが刻み込まれている身体は、直観的に感じ取ることができるから、一分間で充分なのだ」そうです。その判断の指針になるのが、上機嫌な身体を持っているかどうかです。成毛さんは、一緒に仕事をしたいのは「相性のいいヤツ」だと言っています。上機嫌さは、「元気があって面白いヤツだな」という印象を残すのにピッタリだということです。

二十分の面接であっても、「その人の身体にしみ込んでいる雰囲気」について考慮しないわけではないと思いますが、それ以外に様々な質問をし、客観的に判断しようとするので、かえって正しい判断からずれてしまうようなことが起こる可能性があります。私の経験ですが、直観的に判断したことは、振り返ると大体正しい判断だったことが多いですね。皆さんもそういう経験があることでしょう。ただし、組織の一員であると、自分だけの判断では物事は進みませんので、複数の人々に説明する必要があり、説明のための資料を作ったりして、即効性が阻害されていきます。時間の問題だけならいいのですが、枝葉末節にとらわれて、正しい判断ができなくなる場面も出てきます。

マイクロソフト社のユニークな面接方法は、自分の直感に磨きをかけて、直感を大切にして行動することの重要性を教えてくれているようにも思います。

人財育成

今回は、小児心臓外科医の佐野俊二さんの「人を育てること」についての話を紹介します。

『人を育てるのはすごく時間がかかるし、難しい。手術のときも、自分でするのが一番簡単です。それが一番早いし、リスクも少ない。一方、他の人に任せて、たとえば切るところを間違えたら、それを直さないといけないわけです。その方がずっと難しい。しかし、それでもどこかで任せなければ、人は育ちません。加えて、任せることで自分の腕も上がるんです。人を教えれば教えるほど、ある意味では自分のレベルも上がっていきます。

問題はどこまで我慢するかですね。たとえばある手術に一時間が充てられたとしましょう。自分が最後の二十分ですべてリカバリーできると思うのであれば、四十分までは我慢して若手に任せられます。もっと自信があるなら、四十五分まで大丈夫かもしれない。反対に自信がなければ、三十分で代われと言うかもしれない。いずれにしても、自分のことだけ考えれば、早目に交代した方がいいわけですが、そうすると若手が自信を失う結果になってしまいます。若い人は任せられれば任せられるだけ、自分は期待されていると思い、頑張るわけですから。

信頼されていると感じたなら、若い人は期待に応えようと努力します。もっと勉強して、よい医師になろうとするのではないでしょうか。それが今は自分でなくても、指導者から信頼を受けている医師が目上にいれば、いつか自分もそこまで行きたいと考えるのが自然です。そういう意味でも信頼は大切です。

留学中、まだ数例の手術しかしていなかったころは、私もものすごく不安でした。そんなときに師匠のロジャー・ミーが手術室に入ってきて「大丈夫か？」と聞いたら、私は信用されていないと感じてしまったでしょう。だから彼は、絶対に手術室に入ってきませんでした。陰では相当に心配していたようですが、それを気付かせることはありませんでしたね。』

会社では、各人のパフォーマンスに基づいて評価される制度となっています。パフォーマンスには色々な側面がありますが、現状の評価においては、業務内容の実績に重きが置かれているのが実態です。一方、ある人の会社での責任達成度を考えると、その人がいかに人を育てたか、後継者にポジティブな影響を与えたかが重要な要素になると思います。私自身は、自分よりも高いパフォーマンスを発揮できる後輩を最低一人育てられれば、会社に対する自分の責任を果たせることになると考えています。短いスパンで評価する場合は、業務内容がポイントになると思いますが、その人の勤務期間全般に対しての評価となると「人をいかに育てたか」に重きを置くべきでしょう。皆さんも、是非後輩に良い影響を与え続けて、継続的な人財育成ができる風土を醸成していただきたいと思います。

外国人留学生

先週は、東大コンクリート研の前川先生を訪問しました。前川先生の研究室の博士課程の留学生が4月から当社に入社することが決まったので、そのお礼に伺ったものです。東大の土木工学科が、本格的に留学生を受け入れるための体制を整えて、実施し始めたのは1982年のことです。大学院の講義は全て英語にし、留学生のための日本語教室やホストファミリー制度を作り、30年近く継続しています。現在の修士課程の学生は、日本人と外国人が半々になったとか。また、博士課程はほとんどが外国人学生になっています。そして、外国人の卒業生数が600人を超えたということです。そのような卒業生の中には、世界各国でかなり活躍している人も出てきているようです。

前川先生のところの外国人卒業生には、世界各国の大学の先生になっている人も多いようですが、自分で会社を創った人が5人いるそうです。皆初めは色々な仕事を一生懸命やっていて、その苦労の甲斐あってようやく花開いてきているようです。その中でも建設会社を設立したエジプト人卒業生の会社は、エジプトで第2位（=アフリカで第2位）の規模にまで成長しているそうです。前川先生とは違う研究室の卒業生ですが、中国の清華大学の学長になった人もいて、その人はあと何年かすると中国の政治局員になるだろうとのことでした。20年程前のことのようですが、同じく清華大学のコンクリート研究室へ戻った卒業生の元を前川先生が訪ねたそうです。その時に、たまたまその研究室のＯＢが来ていて、一緒に食事をしたそうですが、そのＯＢが、現在の胡錦濤国家主席だったということです。胡錦濤主席は清華大学の水力エンジニアリング学部を卒業した後、土木技術者として辺境地域でダム建設に従事していたそうです。

大学の先生は、卒業生が活躍してくれると嬉しいだろうなと思いますが、特に留学生の場合は、日本人以上に幅広い活躍をする人もいるでしょうから、非常に楽しみでもあるでしょう。それそんな先生ですが、留学生が日本の企業に勤めるときに必ず言うことがあるといいます。それは、「会社から便所掃除をしろと言われたら、３年間は黙ってやりなさい。３年経っても、まだ便所掃除をしろと言われたら、その会社を辞めなさい」ということです。外国人留学生の中には、博士号を取得したというプライドをぶら下げている人も時々いるので、日本企業に馴染むための心得として、そんな極端なことを言っているそうです。すると、ある建設会社に就職した留学生から、「先生、便所掃除はやらされていません」と真顔で言われたとか。「なかなか日本人の冗談が伝わらないこともあるんですよ」というお話でした。

卒業論文審査会

先週、東大社会基盤学科（旧土木工学科）の卒論審査会が２日間にわたって行われましたので、半日参加しました。今、大学ではどのようなテーマに取り組んでいるのか、また、どのような学生がいるのか、という点に興味があったので、参加したものです。発表を聞いて感じたことを紹介します。

どの学生もプレゼンテーションや質疑応答がうまかったですね。休憩時間に発表が終わった学生に聞いてみると、発表に向けてかなり準備したそうです。先日私達の本部で実施したOJT発表会の発表よりも説得力がある発表も結構ありました。他の学生も熱心に聴講していました。ある学生は、あきらかにネイティブとわかる英語で発表していました。ただ、名前が日本人の名前なので、何か事情があるのかなと思っていたところ、質疑応答は、質問者に応じて、ネイティブの日本語とネイティブの英語を使い分けて対応していました。バイリンガルだったということですね。そういう時代になっているのだなと思いました。

学生の発表に対して、審査している先生の方ですが、人数が少ないことに、まず驚きました。つまり、欠席している先生が結構いるということです。私の感覚だと、大学教育を締めくくる重要な卒論審査会ですから、全ての先生が出席して審査するものと思っていましたが（私の学生の時はそうでした）、先生は入退室を繰り返すし、自分の卒論生の発表が終わるといなくなる先生もいました。「他の研究室のことは知らない」という感じなのでしょうか。私は、常々、複数の研究室が協同で一つのテーマに取り組むような研究を大学でやって欲しいと言っています。その理由は、実務では、大学の一つの研究室だけで対応できる仕事などないので、学生が少しでも実務をイメージできる教育をして欲しいと思うからです。

研究テーマは、卒論生の場合は、先生から与えられることがほとんどだと思います。少々驚いたのは、というより、やっぱりなと思ったのは、いわゆる土木的な（ものづくりに関する）テーマが少なかったことです。計画や景観などのテーマが多かったですね。中には、「心に響く社会基盤」の研究と銘打って、1970年代からの日本、イギリス、アメリカの歌謡曲の歌詞の中に現れる社会基盤施設関連の言葉（駅、鉄道、汽車、道路、車、港、船など）を調査し、「鉄道や船は、北国や寂しい情景で現れ、道路や車は都会の情景で使われる」といったような分析をしている研究がありました。このテーマを選んだのは学生だとは思いますが、選んだ方も選んだ方だし、それを許可した先生も先生だ、と少々あきれてしまいました。

学生の立派な発表に比べて、先生方の質問の中には、ぼそぼそと言っていて何を言っているのかわからないものも多々ありましたし、教育者としての質問の仕方が下手な先生も目につきました。卒論審査会への参加ということでしたが、「先生方には学生をきちんと教育して欲しい」と、思わぬ感想を持った次第です。

新入部員の皆さんへ

先週から、新入社員の2名が配属になりました。4月から配属になっている外国人の2名と合わせて4名の新入社員が加入しました。また、4月には1次交流で1名来ているので、新規に5名が加入したことになります。

新入社員の皆さんには、仕事を通じて経験を積むことにとどまらず、設計部員なのだから、自分の時間を使って自分から率先して設計に関する勉強をして欲しいと思います。わからない言葉も多いと思いますが、まずは自分で関連する書籍を買って、継続的に勉強することをお勧めします。目指すのはプロフェッショナルですから、場当たり的に知識を得るのではなくて、じっくり腰を据えて着実に勉強していって欲しいと思います。

何でもコツコツと習慣付けて継続していると、いつの間にかそのことが苦にならなくなりますし、必ず何らかの成果が身に付いていきます。そういう努力をしていない人と比べると1年もすると圧倒的な差となって現れます。たとえば、英語などは日常的に勉強しておかないと急には役に立ちませんね。少なくとも設計部では、「英語は使えるのが当たり前」という前提ですから、海外案件の担当者を決める場合でも、英語の得手不得手を考慮したりはしません。急に海外案件を担当して困るのは自分自身ですから、困難を軽減するためにも日常的な英語学習は欠かせないと思っています。私は何をやっているかと言えば、少なくとも月曜日から金曜日の朝6時30~45分にラジオで『基礎英語3』(中学3年レベル)を聞いています。内容は簡単ですが、毎日1回ネイティブの発音を聞いているだけでも役に立つのではないかと思っています。

自分で買った専門書を計画的に勉強していくとか、論文や専門雑誌を定期的に読む習慣をつけるなど、やり方は色々あります。あまり大変な計画を立てると続きませんから、確実にできる小さなことから継続していくのがいいですね。

新入社員には受け入れの時に言って繰り返しになりますが、何か仕事をするときには、必ずその仕事がどのような構造物に関するものなのか、その構造物ができると人々にどのような便益がもたらされるのか、ということを必ず理解してから仕事に取り掛かって下さい。また、設計責任者の方々は、仕事を頼む時には必ず、そのような説明をして下さい。「人々が安全に安心して生活や事業活動ができる環境を提供すること」が建設業の使命ですから、「この構造物がどのように人々の役に立つのか」を理解することが仕事のスタートとなります。

新入部員の皆さんには、その使命を果たせる技術力を持ったプロフェッショナルを目指して、日々精進していっていただきたいと思います。

自治医科大学看護学部

先週の金曜日は、栃木県にある自治医科大学の看護学部の1年生に講義をしました。対象は、18〜19歳の女子学生80名です。私の娘よりもだいぶ若いですね。この講義は、前任だった前本部長から引き継いだ形で引き受けることになったものです。自治医大へは初めて行きましたが、JR宇都宮線の「自治医大」という駅があるように、大学病院町のような地域です。大学病院の病床数は１１３０床とかなり大規模な病院のようです。

さて、講義の内容は「災害学」ですが、私はその分野の専門家ではないので、何を話すかに苦慮しました。まずは土木学会から刊行されている『必須!! 防災知識』という本についているDVDを知っていたので、それで35分程度を埋めることにしました。残りの50分程の内容をどうするか。将来看護師になる学生ですから、病院に関することがいいだろうと思いました。そこで以前、香川大学工学部の松島学教授が香川大学付属病院を対象にして、地震時に医療機器がどのような挙動をするかという研究をされていたことを思い出し、松島先生にお願いして発表に使ったパワーポイントのファイルをいただきました。20年程親しくお付き合いしている先生でしたので、「内容をどんどん公表していただいて結構です」との快諾を得られました。このネタで、1時間半の講義の時間はほぼ埋まりました。若干時間に余裕があるので、最初に建設業や建設会社についても話すことにしました。

講義の前日、大学の評議員会に出席したのですが、隣に東大地震研の堀宗朗教授が座ったので、色々雑談をしていました。その時に堀先生に「明日、自治医大の看護学部の学生に災害学の講義をするんですが、堀先生も登場する土木学会のDVDも使いますよ」という話をしたところ、「e-defenseで行った病院の実験がフリーでダウンロードできるので、それがいいですよ」と紹介されました。早速、翌朝、e-defenseの映像をダウンロードして、当日の講義で学生に見せることができました。香川大学の先生の医療機器の滑動・転倒や病院のBCPという研究成果を示すとともに、阪神淡路大震災の地震動が襲ってきたら病院の中はどういう状況になるかをe-defenseの映像で見せることができて、学生たちには理解しやすかったと思います。

このたびの「災害学」の講義の内容を作るにあたって、日頃からの先生方との関係や情報収集が役に立つことを改めて感じました。また、自治医大の職員の方々はとても丁寧で親切な対応をして下さいましたし、看護学部の廊下ですれ違う学生達が私に「こんにちは」と挨拶してくれて、何か良い校風のようなものを感じました。ちょうど看護学部の建物の前に当社の現場の仮囲いがあり、研究棟を新築しようとしていることがわかりましたので、講義の初めには、自己紹介とともに「そこで建物を新築している会社です」という紹介もできました。折角の機会でしたので、「皆さんの中には、お父さんが建設業の人が一割くらいはいると思います」と少し引きつけておいて、「建設業の使命は、人々が安全に安心して生活や事業活動ができる環境を提供することで、金もうけのために仕事をしているのではありません」という話を身近な土木構造物を例にとって説明しました。また、国が公表している全国の地震ハザード評価の計算は、当社が全面的にサポートしているという話も織り交ぜて、少しでも建設業にプラスの印象を持ってもらえるような話もできたと思います。

片道2時間以上かかる遠いところでしたが、知識をどんどん吸収できるフレッシュな学生達に少しでも視野を広げてもらえ、また少しでもプロの看護師になることの自覚を持ってもらえたかなと思うと、また来年も講義に出向く気力が湧いてきます。

啐啄同時

今回は、最近読んだ禅に関する本からの抜粋で、「何事もタイミングが大事」という話です。

『卵の中の雛が、今まさに生まれ出ようとする時に、殻を破ろうと必死に中から啐《つつ》く。母鳥は、一瞬と違わず外からくちばしで啄《つつ》く。啐啄同時《そったくどうじ》に行われて初めて雛は生まれる。

師が弟子に「機が熟した」と悟りの動機を与える。仕事でも、上司と部下の「啐啄同時」が望まれる。宇宙即我、衆生本来仏なり、無なり、といった禅的な悟りではなくても、何かに気づかせる「ちょっとした一言」のタイミングが大切である。

たとえば、プレゼンテーションの指導をする際、その人の改善点を指摘するのに、「三年前のあなたの話し方は、このように改めた方がいいですよ」と言っても、誰もピンとこない。部下を叱るのなら、ミスをしたその場で「今の電話の話し方はよくない。こう改めた方が良い」と注意すべきだ。

ほめる場合も同じで、「その場で」声をかけるようにしたい。自分がいい加減に部下に接していると、部下に一声かけるような絶好のタイミングを逃してしまうことになる。

「この次でいいか」「後にしよう」「そのうち……」ということになる。部下という雛鳥が殻をつついているのに、上司が何もしなくては啐啄同時にならない。

逆に、あなたが部下の立場でも同じだ。上司が一所懸命になっているのに、自分は変に冷めた目で見ていたり、ボーッとしているようでは困る。何事もタイミングが大切なのである。』

この文章を読んで、私は二つのことを感じました。一つは、相手が何かを自分に語りかける時に、表面的な言葉や態度をとらえることも大切ですが、なぜそのような行動をとっているかという本質をとらえる必要があるということです。言葉に答えるだけでは、本質に応えたことにならず、相手の真の問いかけに対応したことにならない場合があります。少し会話をすることで、本質が見えてきて、何に困っているのか、急いで対応すべきことなのか、時間的な余裕があることなのか、などがだんだんわかってきます。

もう一つは、日頃から自分の周囲にいる人達に対して、どのような点が強みになっているか、どのような点を改善したらよいのかなどを考えておくことが重要だということです。「啐啄同時」といっても、相手に対して何も考えていなければ、良いタイミングではアドバイスはできないだろうと思います。個人個人についてもそうですが、自分が所属しているグループや集まりがどのような状態であって欲しいかということを常日頃考えていると、相手の言葉や態度に対して、的確な反応ができる場合があります。母鳥は、雛が殻を啐くことを待っているからこそ、即座に対応することができると考えるべきでしょう。

自分の仲間や家族がこうあって欲しいとか、職場のグループあるいは自分の家庭はこうありたいという考えを、自分自身が持つことで、自分の周りが徐々に改善され、活性化していくのではないかと思います。

潜在能力を引き出すには

先日、社内の後輩と話をして感じたことを紹介します。その後輩とは、会社の中でも非常に特殊な業務経験を持っていて、責任ある立場で長く現場で活躍してきた人です。もう一人、彼の部門の先輩が「俺と一緒に今までとは違う仕事をやらないか」と盛んに誘っているのですが、彼は「自分はそのような仕事をやったこともないし、そのような仕事ができる性格でもありません」と言うばかりで、先輩の話を聞こうともしない様子でした。

そのやり取りを聞いていて、いつも思うことがまた思い浮かんできました。それは、自分自身で「自分はこういう性格だ」とか「自分にはこの仕事は向いていない」などと決めつけてはいけないということです。人は色々な性向を持っているので、気持ちの持ち方次第で、また経験の積み重ねによって、多方面の能力を発揮できるようになります。そのことを表現したくて、私は若い人と話をするときに「役者を演じれば面白いよ」とよく言っていました。たとえば、普段は口数が少なく、しゃべる時はゆっくり考えながらしゃべる人が、『今日の社外会議は初対面の人ばかりだから、意識的に大きな声で、口数多く、明るくふるまおう』という心の準備をして、役者が舞台に立つような気分でその会議の時間を演じるということです。また、いつも軽口をたたいているような人が、『今日は、発言を絞って、終始難しい顔をしていよう』と決意するのもいいですね。意識的に平均とは違った自分を演じることを続けていると、いつのまにか自分の殻がやぶれて、自分をさらけ出すことに躊躇しなくなり、自分のパフォーマンスの幅が拡がっていきます。「自分は設計だから」とか、「自分は営業だから」などと言っているようでは、活躍の場が限定されるし、そのうち仕事も少なくなってしまいます。

このような自分の気持ちの持ち方とともに、気を付けなければならないのは、他の人に対して、「この人はこういう人だから」と決めつけてはいけないということです。このような発言を、皆さんも日常よく耳にすることでしょう。また、自分がそういう発言をしていることに気づいた人もいるのではないでしょうか。最近ですが、「A君をこの社外委員会に出して、この分野で顔を売っていったら」と言ったら、「A君にはちょっと適していないから」という返事が返ってきました。そんなことはやってみないとわからないから、やってみればいいじゃないかというのが私の意見です。「この人はこういう人だ」と決めつけるような発言で、その人の潜在能力を発揮させないことが頻繁に起こっているように感じています。この点は、部下を持つ人は特に気をつけなければなりません。今まで経験したことがないことに部下をチャレンジさせ、潜在能力を引き出すように配慮することが必要だと思います。

さて、初めの話に戻りますが、私は、その後輩に、「自分の性格や能力を決めつけてしまったら、自分の経験以上のことはできなくなるよ。その仕事をやったことがなければチャレンジしたらいいじゃない。そうすれば、自分の眠っていた能力に気がつくと思うよ」というようなことを言いました。「やれ」と言われたから、いやいやながらやるというのでは成果は上がりません。本人が「面白そうだからやってみよう」と主体的に取り組むことが必要です。はてさて、彼は私の話を多少は聞いてくれたのでしょうか。

新入社員教育

4月には新入社員を迎え、例年通り新入社員研修が行われます。現在、新入社員研修のプログラムが固まり、講師が決まったところです。設計部では、4名の中堅部員に講師を務めてもらうことになりました。私達の本部では、新入社員研修の他にも数々の教育プログラムがありますし、それ以外にも各部署、各グループで勉強会などが行われています。設計部では、現場見学会、基礎的事項勉強会、トークサロンに加えて、今年度から設計技術講座を開講しています。このような教育プログラムは当社の事業活動にとって根幹をなす重要な活動となっていることを認識する必要があります。

最近、長くドイツ大使館で勤務している方が、ドイツの社会の仕組みについて書いた本を読みましたが、その中で目についたのは、「ドイツで一番の問題は失業対策である。失業対策として最も力を入れようとしているのは教育制度に関する対策である」という記述でした。ドイツの失業率は約10%で、旧西ドイツの州で6%台、旧東ドイツの州では13%程度という状況です。ドイツで「教育」と言っているのは、日本で言う高等教育を受けさせようというようなことではありません。各種の専門学校で職業訓練を充実させていこうということです。以前にも紹介しましたが、最近までドイツの学校はごく少数の私立学校を除いて学費はタダで、州立の専門学校はあらゆる分野に及び、もちろん学費はタダでした。今は若干の学費を納めるようになっています。ドイツの大学の授業は実務的です。たとえば、私が所属していたミュンヘン工科大学のコンクリート講座では、実務経験が12年程度以上ないと正教授にはなれませんでした。また、専門学校は非常に充実しています。大学や専門学校を修了すると、すぐに実務者として独り立ちできるような教育システムが整っています。このように国として国民を教育しようという方針が明確で教育制度がしっかりしているドイツが、失業対策としてさらに教育制度を改善しようとしていることには感心する他ありません。

これに対して日本の専門教育はどうかというと、大学を卒業して即座に実務で活躍できるような教育内容にはなっていません。日本では就職した企業で若年社員に専門的な教育をしているというのが実態だと思います。ドイツの大学卒業年齢は27～28歳くらいですが、専門分野での実務的な能力を比較すると、日本で大学の修士課程を出て4年程度企業で教育を受けて働いた技術者とドイツの大学卒業したての技術者とが、同程度の技術レベルではないかと感じています。つまり、日本とドイツでは28歳くらいで同程度の技術力が身に付いている、それまでの教育の過程が違う、ということだと思います。

このような日本の専門教育の状況ですから、企業での若年社員教育が重要であるし、その教育の質がその企業の事業活動に大きな影響を与えることはわかると思います。こう考えると、新入社員研修や各種勉強会の講師の皆さんの責任は重大であることが見えてきます。研修や勉強会では、ある程度技術的な知識を身に付けてもらうことも目的の一つですが、もっと重要なことは「興味を持ってもらう」「やる気を引き出す」「業務への取り組み方を身に付けてもらう」といった専門知識以外の事項だと思います。自分自身が主体的になり、また興味を持って取り組まない限り、技術は身に付きません。設計技術講座でも、「自分で学習するきっかけをつくること」を目的としています。

新入社員研修の講師の皆さんには、新入社員が興味を持つような講義内容を考えて欲しいと思います。「LNGタンクの紹介」なら、単に当社のタンク建設の歴史やタンク構造の紹介ではなくて、「数々の技術開発的なチャレンジをしてきて、非常に面白い」とか、「安心して使えるタンクを提供することで、エネルギー安定供給の一翼を担っており、プロの技術力をますます磨いていきたい」といった、自分の思いを伝えてもらうのもいいですね。決して、おざなりの講義にならないように宜しくお願いします。

ピグマリオン効果

優れたリーダーほど、部下のやる気を最大限に引き出すのが巧いと言われています。やる気の違いによって、対応できる仕事の量も違ってきますから、リーダーと言われる立場の人は、経営の効率化の観点からも、部下のやる気を引き出すことに腐心するわけです。人のやる気を引き出すためには、承認欲求を充たすような方策をとることが効果的です。すなわち、自分が認められ、信頼されているという気持ちにさせることです。

また、相手をどういう目で見るかということも重要です。アメリカの心理学者ローゼンサールは、小学校の生徒に知能テストを行いました。そして、特別に選び出した何人かの生徒の担任の先生に、「テストの結果、この子の潜在能力は素晴らしく、将来、成績が伸びると思われます」と告げました。実はローゼンサールは、知能テストの結果など見てはいなくて、全く無作為に生徒を選んでいました。ところが驚いたことに、一年後に調べてみると、ローゼンサールが選んだ子ども達は、本当に成績が上がっていたのでした。何が起きたのでしょうか？ローゼンサールは、教師の期待が無意識のうちに態度となって表れ、「君は素晴らしい能力を秘めていて、今に成績が伸びる」という無言のメッセージを伝えていたのだと考えました。そして、この不思議な現象を「ピグマリオン効果」と名付けました。ピグマリオンとは、ギリシャ神話に出てくるキプロスの王で、自分が彫った彫像に恋してしまい、その念があまりにも強かったために、彫像が人間になったという逸話のある人物です。この人はきっと素晴らしい人物になると信じて接していると、いずれはその期待を実現できるし、反対に、この人はダメな奴だから、どうせろくな人物にはならないと期待もせずにいると、本当にひどいことになっていくということを、ローゼンサールの実験は教えてくれています。

「この人は、こういう人だ」と決めつける発言を耳にすることもありますし、人のパフォーマンスのごく一面を捉えて、その人のパフォーマンス全体を決めつけているようなケースもあります。そのような言動を見るにつけ、「このリーダーは、部下のやる気を引き出そうとしていないな。リーダーとしての能力に欠けるな」と思っています。「ピグマリオン効果」にも関係しますが、リーダーのちょっとした言動が士気をそぐ原因になるので、注意が必要です。冗談めかして言う軽口や皮肉などでも、言われた本人にとっては十分にやる気を失う原因になるのです。皆さんの身の回りにいるリーダー達を観察してみてください。「この人は、人のやる気を引き出す努力をしているかどうか。リーダーとして相応しいかどうか」が明確にわかりますよ。

役職になって部下を持つ人には、是非部下のやる気を引き出す工夫をしてもらいたいと思います。それは自分自身の心構えの問題です。私は、20年ほど前から、「自分よりも年齢が若い人は、自分よりは能力が上だ」と考えています。もし、部下が十分に能力を発揮していないと感じることがあれば、「原因は、部下の能力を引き出していない自分にある」と考えます。そう考えると、自分が何をすれば良いかが見えてきます。部下を注意したり、ただやれと指示したりするだけでは、やる気はそがれる一方です。設計部ビジョンもモチベーションを向上させる施策ですが、その他にも自分なりに考えて、周りにいる人達のやる気を高める方策を実施していただきたいと思います。

金沢工業大学

先週、金沢工業大学で「発展途上国におけるインフラ整備に関する建設技術者の取組み」と題して講義をしてきました。以前、東大と宇都宮大でそれぞれ3回ずつ行った講義と大体同じ内容です。私が講義で、学生に伝えたいことは次の4点です。

①大学の講義は全て実務に役立つ
②技術は現場にある
③建設業の使命は、「人々が安全に安心して生活（事業）ができる環境を提供すること」
④高い意識を持って国際舞台で活躍して欲しい

国内の大学の授業では、コンクリート、土質、構造というようにそれぞれ独立しているかのように教えているのですが、皆さんは気付いているように、地盤の事がわからなければコンクリート構造物は造れないわけで、それぞれの分野は密接に関連しているのです。ですから、私の講義ではそれぞれの分野が関連しあって活用されているということを台湾新幹線プロジェクトを例にとって説明することにしています。また、海外のカントリーリスクの話や八田與一が指揮をとって完成させた烏山頭ダムと広大な灌漑施設についても紹介することにしています。今回は八田與一の出身地である金沢の学生達に八田與一が台湾の人々にいかに尊敬されているかを是非知ってもらいたいと思いました。

金沢工業大学では、大学院の学生を対象として、東南アジアで日本企業が施工している建設現場や完成した構造物を視察するプログラムがあって、毎年数名の学生が自費で参加しているそうです。私の講義の後に、8月にその視察に行った修士の学生達の報告会があったので出席しました。今回は11日間でベトナムの現場を視察したということでした。行き先は、ハノイ周辺では、ニャッタン橋の現場、バイチャイ橋、ビン橋、その他にギソンのセメント工場、ギソン鉱山でした。それぞれの構造物は全て当社が施工したものだったり、縁の深いものだったりで驚きました。また、担当の先生と話をすると、シンガポール地下鉄、インドネシアのメラピ火山の砂防ダム、マレーシアのパハン・セランゴール導水トンネルの現場も視察したことがあるそうで、当社の現場が多いことがわかりました。ハノイ市内の排水設備整備もメラビの現場の佐藤工事長が担当されたことを説明したところ担当の先生も驚いておられました。

学生達の報告では、ハノイ市内の交通事情などが日本と違うといった細かい点が多いことが気になりました。たとえば、現在バイクだらけの市内ですが、それが将来どのようになっていくかという視点が欠けているように思いました。それと、「土木技術者として自分ならこうしたい」という意見も聞きたかったので、学生達に次のような課題を出しました。『ベトナムではどのような土木構造物が将来必要になると思いますか？　10年後にあなたがその施設の建設プロジェクトに参画するとしたら、今からどのような準備をしなければならないと思いますか？』学生の一人が「この研修に参加する前は、自分は英語もしゃべれないので、海外で働こうとは思っていなかったけど、この研修を体験して、海外で働くことを考えてもいいかなと思うようになりました」と言っていたのが印象的でした。大学にはこのようなプログラムをどんどん増やしていただきたいし、当社もこの種のプログラムをサポートしていきたいと思います。

8

自己啓発

イチロー

「印象に残るゲームは？」と聞かれて、高校三年の時に県大会ベスト8で戦った中京戦をあげたマリナーズのイチロー選手。負けていた試合が、雨で無効となった後、再試合で見せた活躍が評価され、プロへの道が開けた意義深い試合だと語っています。

雨が大きく運命を変えたこの試合。両校とも猛練習を重ねてきたにもかかわらず、この結果になったことを受けて、イチロー選手はこう言います。

「苦しんだから報われると思っていたら、大間違いでしょう。同じ苦しむにしても、考えて苦しまないと。こんなに苦しんでいるんだから、というところに逃げ込んでいたら、いつまでも違う自分は現れない。とにかく考えることですよ、ムダなことを考えて、言葉にしようとしているうちに、何かがパッと閃くことがあるんです」

最良の一手を得るカギは、未知なるわが能力を信じ、試行錯誤を積み重ねていくところにあります。今の仕事を通して、自分の潜在能力を引き出す手がかりを見つけていきたいものです。

お勧めの本

私は、2週間に1回図書館へ行き、平均して7～8冊借りて、そのうちじっくり読む本は3冊くらいという習慣が10年以上続いています。どのような本を借りるかと言うと、自分が興味のある本というより、大体「新着本」です。だから、本の内容はバラバラで、いわゆる乱読をしています。自分の興味のある本は、書店で買いますが、これは平均して月に3冊くらいです。つまり、全部ちゃんと読む本は、週に2冊程度です。その他に、月に2冊程度月刊誌を読み、NHKの語学テキストも2種類くらいは買っています。これらの本を読むのは、通勤時間と寝る前です。

私が今年出会った良い本の中で、お勧めの本が2冊あります。2冊とも図書館で借りた本ではなくて、私が買った本ですが、1冊は、『名画で読み解く　ハプスブルク家12の物語』（中野京子著、光文社新書、980円）です。この本は、ハプスブルク家の歴史について書かれた本には違いないのですが、同家はヨーロッパの主要王族と姻戚関係にあったため、家の歴史がヨーロッパ史と深く関わっており、ヨーロッパ史の流れがよくわかる内容になっています。さらに、決定的に面白いのは、主人公達を象徴する絵画の背景が説明されていて、読者が絵画をより深く味わえるようになることです。一つの内容だけでも面白い本はありますが、この本は1冊で3冊分の価値がある名著だと思います。

もう1冊は、『生物と無生物のあいだ』（福岡伸一著、講談社現代新書、740円）で、50万部を超えるベストセラーですから、既に読んだ方もいると思います。私にこの本を推薦してくれたのが、日本語学校の先生で、生物科学とは縁のない方だったので、難しい本ではないだろうと思い、買ったものでした。DNAの2重らせんを発見するまでの歴史的背景や「生命とは何か」に関する内容も非常に面白いのですが、なんと言っても著者の文章能力が優れているので、実際は難しい内容を一つのサスペンスノベルを読むような感覚で読み進めることができます。

私にとって、それにも増して、うれしかったのは、科学者達が真実を探求していく様子を読んでいると、高校生の頃考えていたことを思い出したことでした。私が高校生の頃は、ブルーバックスが発刊され、読み漁っていた時期で、それに触発されてアインシュタインやインフェルトなどの本を読んだりしていました。そんな中で、将来のエネルギー不足に備えて核融合の研究は欠かせないと思い、原子物理学に興味を持ちました。しかし、目に見えない原子の運動をどうやって解明していくのだろうと考えているときに、原子の運動は、何か天体の動きに似ているな、天体の動きを観察すると本質的なものが見えてくるのではないかと考え、核融合を見据えて、天文学の道を志そうと思いました。結局、父の「天文では飯は食えない」との一言で、その夢は断念したわけですが、そんな昔のことをこの本は呼び戻してくれました。頭の片隅で眠っていたものが目を覚ましたような感じです。おそらく、頭の中の血の流れが少し変わったと思います。

さて、今年も残すところ半月となりました。正月休みの計画を立てている方も多いと思います。また、今年は寝正月でのんびりしようという方もいるでしょう。いずれにしても、正月休みは、普段よりは自由な時間がとれます。そんなときに、今回紹介した本をまだ読んでいない方は是非読んでみてください。面白いですし、脳が活性化されますよ。

日本の国土史

先日、大成建設の広報部の方から、『人物で知る　日本の国土史』（緒方英樹著、オーム社、2000円）という本を頂きました。初めてお会いする方でしたが、「歴史はお好きですか？」と聞かれ、「好きですよ」と答えると、「この本を宣伝しているんですけど、一度読んでみてください」と言って、一冊くださいました。

著者の緒方英樹さんは、全国建設研修センター広報室長をされており、Weekly Mailでも紹介したアニメーション映画『パッテンライ!!〜南の島の水ものがたり〜』のプロデュースにも携わった方です。また、1997年から、「土木の絵本シリーズ全5巻」を執筆・編集・発刊し、第4巻『近代土木の夜明け』は映画化されてキネマ旬報文化映画部門1位を獲得しました。

本のなかでは、50名の人物が古代から近代まで紹介されています。最初は行基で、最後は八田與一となっています。一人について4ページでまとめられているので、非常に読みやすい構成になっています。聞いたことのない名前の日本人や外国人も登場して、なかなか新鮮ですし、歴史の読み物としても面白いと思います。

一人の人物が４ページで完結しているので、寝る前や通勤電車の中でも気軽に読めますよ。是非、ご一読をお勧めします。

自己学習のすすめ

設計技術講座でも言っていますが、会社の集合教育は、受講者が学習するきっかけを与えるものであって、知識を提供するものではありません。受講しただけでは何も身に付きません。受講して得たキーワードや気になる内容を自分自身で学習して、自分の技術力として身に付ける必要があります。そのような学習は、自分の時間を使って行うのであって、勤務時間中に行うものではありません。我々は、プロフェッショナルですから、自分の持つ技術力を提供して、その対価として給料をもらっています。プロのスポーツ選手が、自分の時間を使ってトレーニングをするのと同じです。仕事をしていると様々な経験をします。しかし、仕事の経験だけでは、断片的で浅い技術力しか身に付きません。仕事の経験をきっかけとして、自分なりに学習して、広く深い技術力を身に付ける努力をしていれば、汎用性がある技術力が身に付いて、プロフェッショナルのレベルが向上します。

設計部では、「一人ひとりがProfessional」というビジョンを掲げ、自分の専門分野を決めて、自己研鑽を継続することとしています。専門分野の学習方法には色々な方法があります。専門書で学習する場合は、自分で購入して、その本の要点を自分で書いてまとめるという方法が有効だと思います。本は読んだだけでは内容が身に付きません。自分が理解した内容を自分の言葉で書くことによって、知識が身に付きます。専門書だけでなく、自分の専門分野の論文に対しても定期的に同様の学習をすることをお勧めします。また、良い論文を学習して、論文を書く練習も継続していただきたいと思います。Professionalの語幹である「profess」は「公言する」という意味ですから、プロフェッショナルになるためには、設計図書や論文などで発注者や一般市民に対してきっちり説明できなければなりません。同じ「専門家」を意味する言葉でも、この点がエキスパートやスペシャリストと違うところです。

「学ぶ上で最も効果的な方法の一つは教えることである」と言われています。皆さんも、後輩を指導したり、学会で発表したり、さらには講演会の講師をしたりする場面があると思いますが、そのようなときには必ず準備をして、話す内容の知識を確実なものにしているはずです。OJTによる後輩の指導、社内講師、学会での発表などは、自分が学習する貴重な機会であると認識して、積極的に、そして一生懸命取り組んでいただきたいと思います。

日常業務が忙しい中で、「疲れていて自己学習する時間なんかない」と言う人がいるかもしれません。しかし、ちょっとやってみれば思っているほど時間がとられないことがわかります。また、何よりも自分が興味を持っている内容の学習ですから、面白くなってくるはずです。まずは時間をやりくりして、「今日はこの論文を読む」などの具体的な計画を立てて実行することです。よく「これはなかなか難しい問題です」と言う人がいますが、この言葉を聞くたびに「この人は何も考えていないし、やっていないのだな」と判断しています。このような言い訳をする前に、まずは小さな一歩を踏み出して良い習慣を身に付けることが肝要です。

自己啓発のすすめ

以前設計部に在籍していて、現在現場で働いている後輩と話をする機会がありました。「現場の経験だけでは技術力は身に付きませんよね？」と聞くので、「現場の経験は断片的な知識だから、それだけだと真の技術力にはならないよ。現場で経験したことに関連して、自分で専門書を買って勉強して本質を理解する努力をすれば、真の技術力が身に付いて、類似の状況にも応用力が発揮できると思う」という話をしたところ、「仕事が忙しくて、家に帰ったら疲れて寝るだけで、とても勉強する時間がとれません」とこぼします。どうも、自分では何か勉強しなければならないと思っていても、なかなか時間を作れないという不安を持っている様子でした。皆さんも似たようなあせりを感じたことがあるでしょう。

「時間がない」と思っている人は、何かやらなければならないという向上心を持っていると言えます。ただし、「時間がない」と言うだけで何も努力せずに終わってしまっては、折角の向上心も意味がありません。時間がなければ、工夫して時間を作ればよいのです。通勤時間を利用する、昼休みを利用する、テレビやスマホに使う時間を削る、15分早く起きるなど、自分の時間の使い方を分析すれば、ある程度の時間はひねり出すことができます。また、仕事の効率化をはかり、勤務時間を短縮する努力をすれば、そこからも時間が生まれます。余分な仕事をしていないか、無駄な会議をしていないか、など切り詰められるところは色々あるはずです。

先ほどの後輩には、「どんなに忙しくても、やる気があれば多少の時間は作れるよ」と言って、私が日常やっている例を紹介しました。私は往復の通勤で電車に約1時間乗っています。この時間だけで週に2冊は本を読んでいます。また、毎日寝る前には別の本を20分程度読んでいるので、平均して週に3冊くらいは本を読んでいます。論文や専門書などじっくり読みたいものは、休みの日に机に向かって熟読することにしています。昼休みや歩いている時は、NHKの語学放送を聞くようにしています。登録すれば、先週の放送を好きな時に聴くことができとても便利です。そんな話をその後輩にしたら、なんとか自分も行動を起こしてみようという気になった様子でした。

私達の仕事で最も大事なことは、会社の商品である技術力を自分の身に付けていることです。これなくしては、社会に貢献することができないので、いくら仕事を沢山受注しても、意味のないことになってしまいます。古くて陳腐化した技術力では、誰も買ってくれませんから、私たちは常に新しい技術力を身に付けていなければなりません。そのためには、仕事をしているだけでは、真の技術力としては不十分なので、どうしても自分自身の時間を使って勉強を継続する必要があります。皆さんも工夫して時間を作って、自分の専門分野の技術力を磨いていただきたいと思います。

英語は使えることが当たり前ですから、いざという時に困らないように日常的に英語に慣れておく必要があります。英会話教室に通うのもいいですね。20代、30代の人は、海外の仕事をしても、責任ある状況で英語を使うことはそれほどないので、broken Englishでもあまり問題はありませんが、40代、50代の人は責任者として発言したり、会議の議長を務めたりする立場で英語を使うことになるので、しっかりした英語力と国際的に通用する会話能力や所作が必要になります。自信のない人は、外国人と英語で話す機会を増やす努力をしなければなりません。

英語習得の壁

盆休みはリフレッシュできましたか？　盆休みに「なにか継続的にやってみよう」と思った人もいることでしょう。そんなときに、「英語」をターゲットにする人も多いのではないでしょうか？　私達の仕事にとって英語能力は必要不可欠なものになっています。今はたまたま英語を使わずに仕事をしている人でも、急に海外の仕事を担当するかもしれません。英語は使えて当たり前ですから、日頃から英語に慣れていることが重要ですね。ＮＨＫのラジオ放送で『入門ビジネス英語』という番組があります。３年前からその番組の講師をしている関谷英里子さんは、同時通訳者として活躍している人です。その語り口がさわやかで好感が持てるので、私も毎回その番組を聴講しています。

今では、同時通訳者となっている関谷さんですが、英語に取り組みだした初めの頃は、誰もが味わう壁にぶつかったそうです。関谷さんの著書から抜粋して紹介します。参考にしてください。

『テストで100点を目指すうちに、ちょっとした失敗がすごくこわくなりました。本当は英語の勉強を一生懸命がんばってきただけなのに。周りの英語ができる人を見るたびに、私はなんてダメなんだと自分にダメ出しをするようになりました。本当は一番この仕事に賭けているのは自分だ、ってわかっているのに。こんな風に思ったことはありませんか？ 私はあります。実は今でも時々そんな気持ちになることがあります。がんばってテスト勉強をすればするほど、私たちは頭でっかちになってしまったのかもしれません。

何も発言しなければ、そこにいないのと同じ。これは、私が海外で過ごした学生時代や、仕事で英語を使うようになった当初、痛烈に感じたことです。色々と頭の中で英文を作って、あーでもない、こーでもないと思っているうちに、おしゃべりの輪に入りそびれ、会議で折角チャンスが巡ってきても、何も発言できませんでした。発言できないでいる私は、本当に存在感のない、ただニコニコ笑っているだけの、いてもいなくてもわからないような日本人だったのです。宿題やリポートは寝ずにでも仕上げ、必死で勉強しました。なのに、発言できない。

それは当時の私にとって本当に大きなハードルで、周りの人の英語を耳にしては、いつもうらやましい、くやしいとモヤモヤしていました。

そんな私が発言できるようになったのは、思い切って、知っている単語を並べるだけでもいいから、とにかく周りとコミュニケーションを取る、自分から発信する、と心に決めた瞬間からでした。発した内容は、実はたいしたことではないかもしれません。他の人が聞いたら「あ、そんなこと思っていたんだ」程度のことかもしれません。でも、それすら言わなかったら、私の思いにも、ともすれば私がその場にいたことさえも周りの人に気づいてもらえなかったかもしれません。だから、たいしたことではなくても、英語で思い切って発言しよう。私はそう心に決めています。英語はコミュニケーションのためのツールなのですから。

私は現在、日英同時通訳者として活動しています。過去にはアル・ゴア元アメリカ副大統領や、チベット仏教の最高指導者であるダライ・ラマ14世などの通訳を担当させていただきました。「一流」と呼ばれている人たちと間近に触れてわかったこと、それは「とにかく自分の思いを伝えている」ということです。彼らは必ずしも難しい英単語を並べ立てたり、複雑な文法を使ったりしているわけではありません。むしろ、誰でもわかるように、私たちが中学で覚えたような単語や文法を使って、相手の目を見てしっかりと意思を伝えているのです。』

夢を持つ

ワタミのＣＥＯである渡邉美樹さんは、夢を描く時は「六本の柱」で目標を立てていると言います（『夢に日付を！』あさ出版）。その六本の柱とは、仕事、家庭、教養、財産、趣味、健康であり、それぞれについて理想をイメージし、そして具体的な目標を立てて実行していくということです。渡邉さんが37歳の時に立てた目標は、たとえば、教養については、「海外進出準備のための英会話、一日1時間継続学習。およびパソコンを自由に使えるようになるため、一日30分継続練習」という内容です。健康に関する目標は「水泳毎月10キロメートル完泳」でした。そして、それぞれの柱の理想の姿が実現した時をイメージして、ワクワクした気分になり、元気が出る状況を作ることが大事だとおっしゃいます。

さらに渡邉さんは、これら六本の柱を入り口にして夢を描くときに大切な指針があると強調されます。全ての物事は次の四つに分類できます。「緊急で大切なこと」、「緊急だけど大切じゃないこと」、「緊急じゃないけど大切なこと」、「緊急じゃなく、大切でもないこと」。この中で最も重要なものは何かというと、多くの人は「緊急で大切なこと」と考えると思いますが、渡邉さんは「それは大きな間違いです」と言います。そして、最も重要なことは「緊急じゃないけど大切なこと」だと続けます。渡邉さんの価値観に基づいた究極の夢は「人間性を高めること」であり、これは緊急なことではないけれど、だからと言って放っておくと絶対に夢に近づくことができません。だから、人間性を高めるために必要なことを一日一日しっかりとやっておかなければならないということです。渡邉さんは、「緊急じゃないけど大切なこと」を沢山挙げて、具体的にそのことに費やす時間を増やしていけば「緊急じゃなく、大切でもないこと」や「緊急だけど大切じゃないこと」に費やす時間が減っていき、豊かで充実した人生に近づいていくと述べています。

何かを実現しようとしたら、不断の努力が不可欠です。努力を継続させるためには、具体的な実施事項を決めて計画を立てて管理することが必要です。高知工科大学の大内雅博先生が編者で出版された『仁杉巌の決断のとき』という本があります。4年前に交通新聞社から出版された時に、以前から親しくしていた大内先生が贈呈してくださいました。仁杉さんは、昭和53～60年に、土木学会会長、鉄建公団総裁、国鉄総裁を歴任された大先輩で、現在99歳ですが、お元気で今も張りのある声で話をされます（注：2015年100歳でご逝去）。先日の土木学会100周年記念式典にも列席されていまして、大内先生がアテンドされていました。さて、この本ですが、大内先生が仁杉さんに一年ほどかけてインタビューした内容をまとめたものになっています。最近また読み返してみると、次のような記述が目に留まりました。

『忙しいから勉強する時間がないという愚痴をよく聞く。しかし、これは言い訳にしか過ぎないと思う。人間は本来怠惰な性格を持っていて、時間がある時ほど何もしないものだ。私のこれまでの人生を振り返ってみると、忙しい時ほど一生懸命に勉強した。忙しい時ほど問題にもぶつかるわけだから、新たな知識が必要になる。こういう状況が勉強のきっかけになるわけであるし、効率も良いと思う。私が今まで徹底的に勉強してこられたのは好奇心のお蔭だ。私は好奇心の塊だ。だから、勉強を始めるとえらく凝る。寸暇を惜しんで本を読んでいる。』

夢を持つこと、それに向かって具体的な目標を立てて実行すること、何事にも好奇心をもって実行に当たること、など、皆さんも是非自分の生活の中に取り入れていただきたいと思います。

9

災害・安全

東北地方太平洋沖地震

先週金曜日の午後に発生した東北地方太平洋沖地震は、三陸沖から銚子沖付近まで長さ約500㎞、幅約200㎞の範囲が震源域となり、M9・0という世界史上最大クラスの地震でした。

この地震は、巨大な津波を引き起こし、三陸海岸の市町村の被害は甚大です。私は、数年程前に、何社かの企業にBCPに関するプレゼをしていましたが、その中では緊急地震速報、津波避難シミュレーション、耐震対策、津波対策などの話もしていました。また、スマトラ島沖地震後には、インドネシア石油公社の副総裁が来日し、津波と津波対策についてプレゼをしたこともありました。そんなこともあり、1896年と1933年に三陸を襲った津波で、多くの人的被害があり、特に宮古の田老地区では集落全部が津波にさらわれて消滅したということも知識としては持っていましたが、この度、三陸海岸の市町村で起こっている想像を絶する映像を見て、改めて津波の脅威を身近なものとして感じました。

三陸海岸で入江になっている市町村は、この度の津波で正に「集落がなくなる」というような壊滅的な被害を受けています。牡鹿半島の女川から北に見ていくと、南三陸・気仙沼・陸前高田・大船渡・越喜来・釜石・両石・大槌・山田・宮古・久慈といったところです。宮古湾に設置されていた高さ10ｍ、長さ2・4㎞の防潮堤では、この度の津波被害を防止することはできませんでした。以前から言われていることで、我々もＢＣＰのプレゼで言ってきたことではありますが、ハードな対策だけでは限界があるので、日頃の教育や避難訓練などのソフトな対策も併せて実施することが非常に重要です。

福島第一、第二原子力発電所の被災も深刻な問題です。なんとか放射能漏れを最小限にとどめるように万全の対応をしていただきたいと思います。今回の被災によって、既に節電対策と計画停電が実施されていますが、大規模な電力供給不足が市民生活や経済に与える影響が懸念されます。大規模な地震による被害では、直接被害とともにこのような間接被害が甚大になります。

当社などの建設会社は、「人々が安全に安心して生活や事業活動ができる環境を提供すること」が使命ですから、我々はプロのエンジニアとしてこの使命を果たさなければなりません。まずは被災者救援のために必要なインフラの復旧から対応するのだと思います。津波被害や原発の放射線漏れに関する報道が多いのですが、落橋や地滑りなどの被害状況も時々報道されています。構造物の被害状況もこれから明らかになってくることが予想されます。いわゆるインフラの被害も甚大であることは想像に難くありません。遮断された交通路や物流路の復旧として、橋、道路、線路、岸壁などの復旧があります。また、土砂崩れや地滑り対策により、人々の安全を確保する必要もあるでしょう。

当社からも、昨日13日に６名の先発派遣隊が現地へ向けて出発し、我々が行うべき支援内容の調査を行います。その調査に基づいて、近々支援をしていくことになりますので、皆さんには、自分に支援要請が来た場合を想定して、現在実施している作業への影響ができる限り小さくなるように、現在の仕事のやり方を工夫しておいてください。たとえば、前倒しで仕事をしておく、他の人に仕事を引き継げるように仕事の内容を整理しておく、外注できるものはできるだけ外注しておく、等々、声がかかった時にスムーズに、震災対応業務に移行できるように、各自で工夫してください。宜しくお願いします。

福島原発事故

福島原発事故が深刻な状況です。事態の鎮静化に向けて、必死に作業をしている方々の成果を祈るしかありません。計器が作動していない状況なので、東京電力の職員も原発内の正確な状況を把握できていないようですが、それでも、対策作業の状況や地域別の放射線量などが時々刻々と報道されています。このような情報は、市民の意思決定の判断材料になるでしょうし、不安感を和らげる効果もあると思います。

1986年4月26日にソビエト連邦のチェルノブイリで原発事故がありました。私はその時、ドイツへ向かう飛行機の中におり、後から調べると、大規模な爆発があった瞬間は、スウェーデン上空を飛んでいたことがわかりました。ミュンヘンのホテルに着いて、テレビをつけると、ニュースで盛んに「チェルノビル、チェルノビル」と言っていましたが、当時ドイツ語がよく分からなかったので、何を言っているのか不明でした。それでも、原発で何か事故があったらしいということは想像できました。とはいえ、その後は語学学校の寮でテレビのない生活ですし、チェルノブイリのことはほとんど気にせずに普通の生活をしていました。しばらくして、当時ミュンヘン大学の物理学科におられた森永教授という方が、日本の新聞に「チェルノブイリでは大変なことが起こっているが、在留邦人には情報が十分には伝わっていない」というようなことを書いているのが目に留まりました。そこで、ミュンヘンの日本総領事館へ行くと、チェルノブイリ事故に対する注意事項の張り紙がありました。窓口で、「このような重要な情報は在留邦人に郵便で伝えて欲しい」と言ったところ、「全員に定期的に郵送するだけの予算がない。必要なら張り紙を見に来てほしい」という返事でした。これには正直呆れかえりました。在留邦人は当時３００世帯程度だったと思いますが、毎週1回、1年間郵送したとしても数十万円程度の金です。戦争に次ぐくらいの一大事ですから、私が総領事なら、自分の金を使って在留邦人に情報を提供するだろうと思いました。何かのセレモニーや会合の時には、周りからちやほやされて、いかにもＶＩＰ待遇を受けている総領事の様子を見るにつけ、肝心な時に何もやらないことに腹が立ち、それ以降は在外公館を信用しないことにしました。私が、葉物の野菜は食べない、牛乳を飲まないなどの食生活に気を付けるようになったのは、身近にいたドイツ人からのアドバイスによるもので、事故からかなり経過してからでした。当時、現在のように正確な情報が迅速に入手できる環境だったら、私はドイツに家族を呼び寄せなかったのではないかと思います。

25年前に比べると、情報量の多さ、迅速さには目を見張るものがあります。正確な情報を誰でも入手することができるようになりました。しかし、情報は同じでも、人によって行動は異なります。その点は十分理解する必要があります。外国人が多数帰国しているということですが、当然のことだと思います。母国でない国で、大地震に遭遇し、原発事故で放射性物質が拡散しているとなれば、帰国する方が普通でしょう。設計部のP君とO君の場合は、本人達は日本での生活も長く、日本人と似た感覚のようですが、ご家族が非常に心配されているので、ご家族に安心していただくために、一時帰国してもらっています。ドイツでは放射能対策グッズがかなり売れているとか。このような外国での感覚も理解する必要があると思います。原発を持つ国、これから建設しようとする国、世界中が福島原発で起こっていることに注目しています。

復興構想会議

東日本大震災からの復興ビジョンを策定するために、政府の「復興構想会議」が発足しました。菅直人首相は、「ただ元に戻す復旧ではなく、創造的な復興ビジョンを示して欲しい」と要請したと言います。委員の一人である建築家の安藤忠雄さんが、「日本がどのような復興を行うか、世界が注目している。日本の文化や技術を世界に示すことができる機会である」という主旨の発言をされていました。その通りだと思います。

今更言うまでもありませんが、先進国と言われる欧米に比べて、日本の街並みは非常に醜いと常々感じています。6年ほど前ですが、都市計画・交通計画分野では日本の第一人者で、ドイツでも暮らしたことのある先生に、「私は日本の街並みが醜いと思います。ヨーロッパの街並みをよくご存じの先生も同感だと思います。先生は、日本の街並みを改善するような活動をしてこられなかったのですか？」というような、少し挑発的な質問をしたことがあります。「私も街並みの改善について何度か提案したことがあるが、実現させることは非常に難しいと感じている」という歯切れの悪い返事でした。確かに、何もない所に街を造るのなら可能性があるのでしょうけれど、既にある街並みを改善することは、短期間では不可能だということはわかります。

日本の街の景観を損なっている物として、看板、自動販売機、電柱・電線などが目につきます。これらの物は、街並みから消していただきたいと思います。そのような目障りな物がなくなったら、次は、ビルです。都市部のビルの不統一な様は、いつも見るにつけ、気分が悪くなります。高さ、幅、色合いなどの調和を考えてこなかったために、現在の日本の都市部のような醜悪な結果になってしまったというわけです。住宅地では、人々の生活空間と建物が調和していることが重要だと思います。子どもが遊べるパティオ、自転車専用レーンのある幅の広い歩道、歩いて行ける緑のある公園など、日本ではなかなかお目にかかれません。

また、日本の交通計画も国としてよく考えられた計画だとは言えません。空港、道路、鉄道がばらばらに整備されています。各県に空港があるという明らかに無駄の象徴のような状態になってしまっています。ドイツでは、いくつかの国際空港が、その地域（州）の海外に向けての玄関になり、その空港から高速道路を使って短時間でどこでも行けるネットワークが整備されています。都市部の交通では、郊外鉄道・地下鉄・路面電車・バスは共通の運賃制度で、改札はなく（たまに検札はありますが）、いちいち切符を買う必要もありません。利用者の利便性をよく考えたシステムだと思います。

東日本大震災で被災した地域では、ゼロから新しい街づくりをする自治体もあるのではないでしょうか？　そういう所では、欧米の都市計画や交通計画の考え方を取り入れるとともに、職住の関係を考慮し、日本独特の文化を取り入れて、世界の見本となるような街づくりをしていただきたいと願っています。復興構想会議が示す復興ビジョンに期待しています。

復旧支援

仙台市では一般家庭向けのガス供給が順次再開されています。この復旧には、全国のガス会社から多数の応援者が集まり、閉栓作業から修繕作業、開栓作業を行っています。最も多人数の応援者を派遣しているのが東京ガスで、私の親友の荒井英昭さん（導管部長）が東京ガスの救援隊長を務めています。彼は、阪神淡路大震災の復旧支援に出動していますし、新潟県中越沖地震でも、柏崎ガスの復旧支援のために救援隊長として出動しています。荒井さんは、仙台の現地では、第2修繕隊長として、導管の被害状況の調査や修繕作業の指揮をとり、一日でも早く作業を終え、開栓隊にたすきを渡すために日夜活動を続けています。荒井さんは、これまでに震災時の現地派遣を5回経験していて、今回が6回目だそうで、「地震災害時の他のガス事業者への復旧支援も、ガス導管部門の業務に従事してきた自分の宿命の一つと心得ています」と言っています。荒井さんとは、地震があった翌週に、つくばの国土技術政策総合研究所へ一緒に行く予定でしたが、地震のせいで、その計画も白紙になってしまいました。

荒井さんは、今まで携わった復旧支援の経験から、「地震時復旧には『三つのコウホウ』が重要と認識するに至った」と言います。一つ目は、導管等の修理に関する「工法」であり、品質を確保した上で、スピーディーに対応できる技術力が必要だということです。二つ目は、現状に関する情報を適切に伝える「広報」が重要だということです。正確な情報は人々が適切な判断をするための基礎データを与えますし、適切な情報は人々に安心感を与える効果がありますす。三つ目は、現場の復旧作業を円滑に進めるための「後方」支援が重要だということです。これら『三つのコウホウ』は、どれも迅速な復旧を円滑に進めるためには欠かせない要素になっていると言います。このような荒井さんの考え方もあってか、この度の仙台市ガスの復旧隊の中には、閉栓隊や修繕隊などの技術的な力を発揮する部隊の他に、広報班や総務班も組織されています。

また、荒井さんは「緊急時だからこそ、復旧隊は落ち込んではいけないことも重要だ」と言い、隊員には「平時悲観、有事楽観」の考え方が重要であると話しているそうです。私なりに解釈すると、平常時は、可能性のある最悪のシナリオを想定して、そのような状況が発生しても、直接被害と間接被害をできる限り小さく食い止めて、早期の事業継続ができるように、事前の対策を一つひとつ実行しておくということ、そして、被災時においては、平常時に準備していた対応策に従って復旧作業を実施すれば、必ず早期に事態は解決するという確信と安心感を持って作業にあたるということではないかと思います。「三つのコウホウ」や「平時悲観、有事楽観」など、なかなかうまいことを言うなぁと感心しますし、体験者が発する言葉には説得力があります。

話は変わりますが、先週、日本の国土計画や交通計画を考える研究会の会合に出席しました。歴代の土木学会会長も何人か出席しているような会合です。そこで話されていたことの重要点は、「今回の震災、とりわけ津波被害を繰り返してはならない。日本の海岸に近い地域はどこでも津波被害が想定されるが、なかでも東海・東南海・南海連動地震が引き起こす津波に対する対策を講じることが喫緊の課題である」ということでした。この度の震災を受けた地域の復興とともに、震災リスクをかかえる地域の予防保全的な対策も早急に実施する必要があります。

想定外の地震

この度の東北地方太平洋沖地震が発生した2日後に、政府の地震調査委員会が「想定外の地震だった」という見解を示したといいます。その真意はわかりませんが、おそらく「想定していたよりも大きな領域で断層が破壊し、マグニチュードが予想よりも大きかった」というニュアンスではないかと推察します。

この「想定外」という言葉ですが、我々設計技術者の分野では作用（荷重）に関して「想定外の地震」とか「想定外の津波」という用語は存在しません。隕石の落下やミサイル攻撃などを作用の種類として「想定しない（考慮しない）」ということはありますが、設計で考慮する作用に関しては、可能性がある全ての大きさについて想定するのが現在の設計法です。もう少し正確に説明すると、現在の設計法は確率論に基づいて行われることが要求されており（実際の設計基準類の多くは依然として確定論のままですが）、確率論的設計法では、それぞれの作用において可能性のある大きさを網羅した確率密度関数を設定し、その確率密度関数に基づいて設計している、つまり確率密度関数においてあらゆる大きさの作用を「想定している」というのが現在の設計法です。

確率論に基づく設計法とは言っても、地震作用は確率変数として扱わず、発生確率がある水準の地震動を設定して、地震作用を確定値として取り扱って設計する場合が多く、今後もそのような方針で設計基準が改訂されていくと思います。この場合の地震動の設計値は、想定されるあらゆる大きさの地震動の中から「設定されたもの」となっています。つまり「この度の地震動は、設計の設定値を超える大きさだった」というのが正しい表現です。

性能設計では、限界状態設計法を採用しており、限界状態が発生する確率をある水準以下に設定しているものの、当然のことですが限界状態が発生することを許容しています。ということは、設計の設定値を超える地震が発生し、構造物が終局限界状態に達する可能性のあることを設計で想定しているわけですから、その状態になった場合のリスクに対する対応方法を事前に検討しておく必要があります。波及被害を最小限にする対策（たとえば第三者被害を最小限にするなど）をとる、保険をかけておく、何も対策をとらずリスクを受け入れる、など対応方法は色々あります。

今回の地震や津波は、設計で想定していたものだったが、設定値を超える大きさだった、福島第一原発では、そのような設定値を超える地震や津波が来襲したときにどのような状況になるかを十分には想定せず（想定不足であって想定外ではありません）、検討していなかった（検討不足）、ということだと思います。「安全に絶対はない」という考えは、阪神淡路大震災以降に急速に浸透してきましたが、「想定外の地震だった」という用語が使われている現状を見ると、未だに意識が変わっていない人々がいることがわかります。土木学会長・地盤工学会長・日本都市計画学会長の共同緊急声明で、「われわれが想定外という言葉を使うとき、専門家としての言い訳や弁解であってはならない」という言葉が出てきました。この中の「われわれ」とは、学会員を指しているのでしょうが、我々設計技術者の場合は「想定外」という言葉を使う必要がないので、この三会長の言葉自体は、設計技術者にとっては的を射ていないように思います。

津波対策

原子力発電所において、将来来襲する津波に対して、敷地周りを防潮堤で囲む対策が進行しています。その防潮堤の高さを決めているよりどころは、「この度の東北地方太平洋沖地震がもたらした津波の高さの最大値が15m程度だったので、15mを想定しておけばよいだろう」というもののようです。この「津波高さを15mと設定して防潮堤を設置する」という対策には、検討すべきいくつかの重要な項目があります。

まず、津波高さですが、気象庁が公表している津波高さは、海上にある検潮所での観測記録なので、このままの高さで津波が陸上に遡上してくるわけではありません。津波は岸壁にぶつかると、その運動エネルギーがある程度位置エネルギーに変わるため、波高が50%程度高くなることがわかっています。どのくらい高くなるかは、その時の潮位や岸壁の高さなどによってばらつきます。たとえば、15mの津波高さで岸壁にぶつかると、波高は1・5倍の23m程度になります。地盤レベルが満潮時海面より10m高いとしましょう。ここで、「津波高さを

15mと設定して防潮堤を設置する」場合に、最低どのくらいの高さの防潮堤が必要かというと、15m－10m＝5mではなくて、23m－10m＝13mということになります。

次に理解しておかなければならないことは、「どんなに防潮堤を高くしても、その防潮堤を越えて津波がやってくる」可能性があるということです。したがって、「今回の津波は史上最大であり、観測された最大津波高さを想定して防潮堤を建設しておけば、将来の津波に対する対策はOKだ」と考えるだけでは不十分であることになります。防潮堤の高さを高くすることは、防護するエリアへ津波が進入する確率を小さくする効果はありますが、津波の進入を防止することはできません。右記の防潮堤の例で説明すると、現状の地盤レベルだと津波が進入する頻度は100年に1回だが、13mの防潮堤を建設すれば1000年に1回になる。さらに防潮堤の高さを18mにすれば1万年に1回の頻度に低減できるというような感じです。これらの確率を踏まえて、どのような意思決定をするかが重要な問題になります。供用期間が後10年の施設と100年の施設では、対策が変わってくるかもしれません。また、津波から防護する対象物の重要度によっても対策は変わると思います。このような意思決定は、「津波性能マトリックス」を使って説明することができます。

いくつかの原子力発電所では、敷地周りを防潮堤で囲む対策を実施しようとしているのですが、防潮堤を造っただけでは、津波対策を完了したとは言えません。防潮堤で囲んだ上で、その中の施設に対する津波対策をどのように行うかが重要なポイントになります。原子力発電所以外にも、火力発電所や化学プラントなど、海辺に立地している工場では、津波対策を真剣に検討しているところだと思います。たとえば、化学プラントで考えてみると、周辺へ漏出させてはいけない物を貯蔵しているタンクなどの施設は耐津波構造とするが、短期間で復旧できる配管類は対策をせずに損傷を許容する、という意思決定もあるだろうと思います。このような耐津波戦略は、対象施設ごとに決定しなければなりません。

津波対策を検討する場合には、防潮堤ばかりに気をとられるのではなく、津波が来襲する確率を念頭に置きながら、津波がその中にある施設を襲ったときに、どのような状態を維持しなければならないかを決めて、そのための対策を実施しておくことが必要です。お客様にそのような考えを持っていただくようにアドバイスをすることが、我々土木技術者の役割でもあります。

過去の地震に学ぶ

16日に今年度第1回の設計技術講座を開催します。私が講師を務め、設計法の基礎という内容で、設計法の分類や用語の定義とともに、設計基準類を取り巻く状況についても話す予定です。設計技術講座の目的は、最近大学ではあまり教えられていない設計法について最新情報を提供して、「自己学習のきっかけをつくること」ですから、聴講して気になったことについては、自分なりに工夫をして勉強を継続してもらいたいと思います。昨年度のアンケート結果を見ると、設計技術講座を受講しただけで、その後何も対応していない人が目に付きました。少なくとも自分で興味を持った分野の専門書を買って勉強するくらいのことはやってもらいたいと思います。設計技術講座を聞いて知識を身に付けようという考えではダメですね。設計技術講座をきっかけにして、自分で勉強して知識を身に付けるということです。受講する人は、その基本をしっかりとわきまえておいて下さい。

さて、今回は、日本地震工学会のメールニュースに掲載されていた文章を紹介します。

『東北地方太平洋沖地震を契機として、企業・社会・国の復興とBCP（事業継続計画）を考える上で、歴史上、被害地震がいつどのようなところで起こったかを再度眺めてみました。そして、甚大な被害をもたらした地震が短い期間に集中して起こっている時代があることが改めて気になった次第です。1700年初めは、大正関東地震より一回り大きな元禄関東地震（M8・1）が1703年に南関東を襲い、その4年後の1707年には東海・東南海・南海の3連動地震である宝永地震（M8・6）が中部・西南日本を襲いました。ついでに言えば、その49日後に富士山の大噴火が起こりました。1850年代では、1854年末に安政東海地震（M8・4）、その32時間後に安政南海地震（M8・4）、そしてその翌年の1855年には安政江戸地震（M6・9）が起こりました。1940年代では、1943年に鳥取地震（M7・2）、1944年末に昭和東南海地震（M7・9）、その約1カ月後の1945年初めに三河地震（M6・8）、1946年末に昭和南海地震（M8・0）、そして1948年に福井地震（M

7・1）が起こりました。もし、被害地震が連続して起こる時代に遭遇するようなことになった場合、今の社会システムがどれだけ耐えることができるでしょうか、そして復旧・復興にどれだけの時間がかかるのでしょうか？　このような連続した自然の脅威からその都度立ち上がってきた先人達の逞しさを思うと同時に、今回の東北地方太平洋沖地震を含めて過去の事例から改めて何を学ぶかが強く問われていると感じる次第です。』

絶対安全はない

本日は、最近目にした文章を紹介します。著者は、ジャンボジェット機の機長をしていた方です。「目標安全性水準を定めて安全性照査をするのが、現在の設計法である」ことは、設計技術講座で説明していますので、受講した人は、「我々が設計している構造物が破壊する（限界状態に達する）ことは、ある確率で許容されている」ことを理解していると思います。原子力発電所の安全性の問題も併せて、自分なりに考えてみて下さい。


『人間が作った物に絶対はありません。

過去、絶対に沈まない船と宣伝したタイタニックは、その処女航海で沈没してしまいました。

また、無敵連合艦隊をうたった日本海軍も、その船のほとんどを沈められてしまいました。

会社のトップで絶対安全、万全の体制を謳う人は、技術がよくわからない人が多いようです。そこで本人の願望としてのスローガンが出てきます。問題なのは、絶対安全を謳うと、言っている本人やそこで働いている人がその言葉に酔うようになることです。その結果タイタニックの場合、絶対に沈まないから救命ボートは飾りだと、甲板を歩く船客の邪魔にならないように、また見栄えがよくなるように、当初の設計では全員の人数分あった救命ボートを、定員の半分しか乗れないまで数を減らすように設計変更しています。働いている人間にもどこかに心のゆるみが出て、氷山の情報があっても速度を減らさなかったり、タイタニックの通信士にいたっては、せっかく周りの船が送ってくれる氷山の情報を、乗客の陸上へのメッセージの電報を打つのに邪魔だと、「うるさいから黙れ」と打ち切らせています。絶対安全を謳えば謳うほど、働いている人の心の中から安全に対する意識が消えていきます。

原子力施設を作るときなど、建設を容易にするために、交渉者は「絶対安全だから」というような言葉を使いがちです。絶対安全を謳うと、軽微な不具合のときに自治体や消防に連絡しにくくなり、隠すことになります。隠していることは、いつかは露見するものです。もっと大きな不具合が出てきたときに司法当局が調べると、過去隠していたことが多量に明るみに出て一遍に社会の信頼を失います。こうなると運転を再開させてもらうことは非常に困難です。

人間は神様ではありません。人間のやることに絶対はありえません。絶対安全を望むなら、飛行機は駐機場に止めたまま動かさない、電車は車庫から動かさない、原子力発電所は燃料棒を抜いて稼働をやめるしかありません。でもこれでは、その物を作った意味がなくなってしまいます。

本来は「どうしてもある確率で危険性があるものを、社会に役立てるために、たくさんの人の力でコントロールして、安全な範囲にとどめておく」と考えるべきです。こう思えば、安全を忘れて効率だけを追求したり、速度だけを追求したりすることはなくなるはずです。

これで充分と思った瞬間から安全は大幅に後退し始めます。そう思った瞬間に、現状以上への対策がすべて止まってしまいます。環境はどんどん変化します。昨日まで有効だった対策は今日はうまく機能しないかもしれません。また社会やシステム、商品が変わることにより次から次へと新たな脅威が生まれてきます。人間の目は不思議なものでこれで正しいと思ってみると、様々な危険要素が明らかに赤いライトを点滅させているのでさえ見えなくなってしまいます。

1００％の安全はありえないけれど、そこに向かって0・1％でも向上しようと努力を続けることによってのみ安全は保たれます。』

地震発生時の新幹線

3月11日に、福島県内を走っている新幹線に乗車していて大地震に遭遇した人の話を聞きました。まず、車内の灯りが消えるとともに新幹線は惰性で走っているような状態になったそうです。その後10秒ほど経って再点灯したと思ったら、下から突き上げるような揺れと横揺れで、網棚の荷物が落ちてきて、その人は、とっさに「爆弾テロだ」と思ったそうです。列車が止まった後に、車窓から軌道上を見ると、架線や電化柱が激しく揺れているので、初めて地震であることがわかったということです。その人は高架橋上の新幹線の中で13時間閉じ込められたそうですが、その間「現在余震が続いているので、車外に出ると危険です。高架橋は耐震設計されていますし、新幹線車両内が最も安全ですので、車内でお待ち下さい」という車内放送が何度もあり、その人は「さすがＪＲ東日本だな」と思ったそうです。

新幹線の車内の灯りが消えた辺りのことをＪＲ東日本の方に伺ったので、紹介しましょう。ＪＲ東日本では、列車が走っている地点の加速度が40 Galを超えると予測される場合は変電所などで電気を止め、120 Galを超えると予想される場合は列車を止めることになっているそうです。前述の例で、「新幹線の車内の灯りが消えた」というのは、予想される加速度が40 Galを超える地点をその列車は通過していたということです。

では、どうやって地震による加速度を予測しているかということです。ＪＲ東日本では、陸上部と海域部に数多くの地震計を設置しています。３月11日の地震のＰ波を最初に検知したのは金崋山沖の地震計だったそうです。ただ、観測されたＰ波が小さかったためか、マグニチュードは最初５・５程度と推定されたそうです。推定された震源とマグニチュードに基づいて各地の加速度を予測し、電気を止めたり、列車を止めたりしているわけです。そのマグニチュードの推定などの計算は、０・５秒に１回程度の速さで行われており、今回の地震では、初めの計算ではM５・５でしたが、その後何十回と予測計算を繰り返して、マグニチュードは６、７、８と大きくなっていったそうです。その間、ほんの10秒程の話です。前述の例を見ると、マグニチュードの予測値が大きくなるにつれて、ある地点の予測加速度も40 Galを超え、120 Galを超えて、それに従って電気を止め、列車を止めという対応がとられていたことがわかります。

３月11日の地震時には東北新幹線に28本の列車が走行または停車していたそうですが、走行していた全ての列車は確実に制御されて安全に停止しています。脱線したのは貨物列車１列車の１輪（軸）だけだったそうです。中越地震以降、最近の新幹線車両には、車輪の内側に大きな脱輪を防止するディスクがついているので、車輪がレールから落ちた際に車体が大きくズレることを防止しています。今回の地震においても、この装置がうまく機能しました。日本の新幹線車両を使っている台湾新幹線でも、昨年３月４日に高雄縣でM６・４の地震が発生した時に、乗客を乗せた１列車の１軸が脱輪しましたが、この装置が機能したお蔭で、列車は２・７㎞走った後に停車し、乗客には全く被害はありませんでした。

このような先端技術を使ったきめ細かい安全性への配慮が、私達乗客の安全を守ってくれているのだと思います。果たして、中国で大地震が起こったら新幹線はどうなるのかと思うと、心配ですね。中国新幹線にはＪＲ東日本も新幹線車両などの技術提供を行いましたが、先日の列車追突事故において、「日本が提供した技術が原因で事故が起こった」などと言われかねないので、ＪＲ東日本では、そのようないわれなきクレームに対する防御も検討しているようです。

安政年間の大地震

東海・南海・東南海の三連動地震への対策が喫緊の課題となっています。これらの連動地震の直近の例は、160年余り前の安政年間に起きた一連の大地震です。

まず、安政元年11月4日（1854年12月23日）午前9時頃に関東から近畿に被害が及んだ安政東海地震（M8・4）が発生し、その32時間後の11月5日（1854年12月24日）午後5時頃には被害が中部から九州に及んだ安政南海地震（M8・4）が起きています。そして翌年の安政2年10月2日（1855年11月11日）午後10時頃、M6・9の直下型地震が江戸の町を襲ったのでした。震央は現在の荒川河口付近とされていますが、最近の研究では千葉県我孫子市の北とする説もあります。これらの地震に先だって、天保元年（1830年）の京都地震、そして、安政元年6月15日には、安政伊賀上野地震（M7・2）といった内陸型の地震が発生しています。関西ではありませんが、その頃発生した大地震には、弘化4年3月24日（1847年5月8日）の夜、長野県北部を震源として起こった善光寺地震（M7・4）があります。

安政東海地震では、静岡県から三重県にかけての東海地方や山梨県、長野県伊那地方の平野部では震度6強から7の強い揺れが起こり、大きな被害をもたらしています。江戸でも震度5強の揺れだったと推定されています。沼津では地盤沈下（12〜15ｍ）、駿河の国では大規模な液状化、島田の石上地区では斜面崩壊により高さ30ｍの堰堤を持つ天然湖が出現、伊豆の下田では津波によって875軒あった民家のうち、841軒が流失全壊、30軒半壊、無事だったのは4軒のみという壊滅状態、また江戸の町では浅草寺付近から隅田川東岸にかけての大規模な火災が発生など、3・11東日本大震災で起こった事象は一通り起こっていたのでした。

安政南海地震が引き起こした津波は、四国・紀伊半島の沿岸に大きな被害をもたらしています。この時紀伊の国広村の浜口儀兵衛が津波から村人を救った物語は、「稲むらの火」として有名ですね。安政南海地震では、東大阪市付近で飛び地のように強い揺れが集中した地域があります。そこは1500年程前までは湖があった地域だそうで、次の南海地震においても同じように強い揺れに見舞われることが予想されています。また、大阪湾には午後7時頃、高さ約6ｍの大津波が襲ってきて、係留中の大船・小舟が一気に押し流されて川筋の橋に衝突し、多数の橋が落ち、船で避難しようとした341人が転覆した船から投げ出されて水死したと当時の瓦版は伝えています。1946年の南海地震では、大阪湾の水位上昇は70㎝程度で、ほとんど被害はありませんでしたが、その前の安政南海地震の時の津波被害を十分認識して対策を講じる必要があると思います。

安政江戸地震は直下型の地震で、1万4346軒の民家が倒れ、江戸市中の町民町での死者数は4626人という記録が残っています。江戸市中の火元は32カ所だったそうですが、幸い風のない夜であったため火事は広域には広がらず、消失総面積は約2㎢（江戸市中全面積の2％程度）と推定されています。この地震で被害が大きかったのは、上野から隅田川までの浅草周辺、上野から南千住に至る旧日光街道沿い、隅田川東岸の向島、本所、深川といった地域でした。

日本で起きた地震の記録を見ると、被害地震は頻繁に起こっていて、「常に活動期である」と言った方が正確ではないかと思います。安政年間辺りになると、かなり正確な調査が行われていて、それらの情報は、迫っている連動地震の対策を考える上で貴重なものだと思われます。このような情報を風化させずにいかに活用するかが重要だと思います。三陸海岸では、明治三陸大津波、昭和三陸大津波、そして今回の大津波と同じ大被害を繰り返している地区がありま す。「天災は忘れた頃にやってくる」という事態にならないように、具体的な対策を実施するとともに、災害の実態を後世に伝承していかなければなりません。

余効滑り

東京で震度2～3の揺れを感じる地震が時々あります。昨年の東北地方太平洋沖地震以来、日本列島全体で地震活動が活発になっていると言われています。東京大学地震研究所の平田直先生は地震予知の研究では第一人者ですが、その平田先生が昨年の10月11日（地震発生から7

カ月後）に講演された内容を抜粋して紹介します。

『余震とは、本震が直接影響を及ぼした地震ですが、余震以外に、3月11日以降、日本列島全体で地震活動が活発になりました。特に、火山の下で地震が頻発しました。たとえば、富士山の下では有感地震も起きていますし、長野県で起きた地震では人的被害も出ています。地震のときの3分間に日本列島が東に5m移動したことの影響が東日本に及んだのですが、実は現在でも東日本の多くの地域は3月11日以降もまだじわじわと東に向けて動いています。たとえば、銚子市は3月11日の地震以降に東に30㎝以上動いています。

日本列島がじわじわ東に動いているのは、3月11日の地震以降も、地震の時と同じ方向にプレート境界がゆっくりずれ続けているからです。これを「余効滑り」と言います。余効滑りの場所は、本震で大きくずれたところよりも少し深い場所です。プレートが沈み込むことで、東北日本が東西に縮んでいたものが、本震時に一気に東に向けて動いて伸びましたが、実は縮みは完全には解消されませんでした。その後も、伸び続けているのです。本震後7カ月たった余効滑りでずれた量をマグニチュードに換算すると、マグニチュード8・5を超えます。この動きは、今も太平洋プレートと陸のプレートの境界で続いていて、今後もかなり長く続く可能性があります。

これがいつまで続くかですが、我が国ではこうした地震の経験がないため、明確には言えません。ただ、マグニチュード9・2と同程度の大きな地震が1964年にアラスカで起きていて、その経験が参考になります。２００９年に書かれた論文で、２０００年までの動きを解析していますが、30年たってもアラスカの余効変動は続いています。

ですから、東北地方の下で起きている余効滑りは、少なくとも10年、20年続くことが予想されます。つまり、東北地方は、３月11日以前は一年間に２〜３㎝縮んでいましたが、今は１カ月で１〜２㎝伸びています。スピードは10倍です。段々ゆっくりになりますが、普段の状態に比べると非常に速いスピードで日本列島が引っ張られる現象が、今後少なくとも10年は続きます。これは、内陸でまた大きな地震が起きる可能性を示しています。

地震調査研究推進本部は、１１０の日本の主な活断層を選び出して活動の評価をしています。このうち五つの断層が、東北地方太平洋沖地震の本震とその後の余効滑りによって、地震が起きやすくなる状態になったと公表しています。五つの活断層とは、双葉断層、三浦半島断層群、立川断層、糸魚川・静岡構造線の真ん中にある牛伏寺断層、阿寺断層の主部と北部です。

断層を押しつけるような力が働いている時はずれにくいのですが、押しつける力が弱まってずらす力が増えれば、地震が起きやすくなります。双葉断層は、東西方向に引っ張られて押しつける力が弱まったのでずれやすくなりました。立川断層は、30年以内にマグニチュード７・４の地震が起きる確率が０・５〜２％であると評価されています。牛伏寺断層は、日本の中で一番高く、30年以内にマグニチュード８くらいの地震が起きる確率が14％と言われています。東北地方太平洋沖地震によって、これらの断層で地震の起こる可能性が増したと言えます。』

社会安全研究会

昨年の大震災を経て、土木学会では山本会長の肝いりで「社会安全研究会」ができて、その活動の中で、有識者へのヒアリングを行っています。有識者とは、元土木学会会長や外部学識経験者だそうです。そして、ヒアリングの項目は、次の４項目となっています。

①社会安全に対する土木技術者の対応について
②日本は防災先進国か？
③想定外について
④安全と安心について

①の項目の背景には、「土木技術者に対する信頼が低下しているのではないか？」という危惧があるようです。また、②の項目ですが、阪神淡路大震災と東日本大震災における地震・津波被害や原発事故を見て、海外の人々の日本を見る目が変わってきていることに関連しています。③と④は、震災以降、盛んに取り上げられている言葉ですね。さて、このような項目について意見を求められたら、皆さんはどのように答えますか？

③と④については、私の考えていることをWeekly Mailで何回か紹介しました。まとめると、

以下のようなポイントになります。

■設計荷重などの設計水準を超える事象が起こることは、設計で考慮しており、その上で設計水準を決めているので、「想定内」と言える。たとえば、「設計地震動より大きな地震動がきた」というようなことは、想定内の事象である。一方、「津波波圧を設計荷重に考慮していなかった」などのように、設計状況として考慮していなかったことが起こることは「想定外」と言える。

■建設業の使命は、「人々が安全に安心して生活や事業活動ができる環境を提供すること」である。

■「安全な技術者」とは、エキスパートやスペシャリストであり、「安心な技術者」とは、プロフェッショナルである。

右記のヒアリング項目を考える上で、重要な点は、『技術者が、構造物やシステムの安全性を定量的に説明してこなかったために、一般市民に「100%安全なものは存在しない」「より安全なものには金がかかる」といった考え方が浸透していない』という事実です。土木技術者でさえ、殆どの人が、構造物の安全性を定量的に評価できないのが現状ですから、仕方がありません。まずは、少なくとも、設計技術者が構造物の安全性水準を意識した設計をできるレベルにまで、日本の設計技術を引き上げたいと思っています。このために土木学会から「安全性照査のガイドライン」を4年後には発刊する予定です。

国際プロジェクトの係争では、ownerは「そのような事象が発生することは、contractorとして当然考慮すべきだった」と言い、contractorは「そのような事象が発生することは、予見できなかった」と反論するケースがあります。この「予見できなかった」という点が、unforeseen（予見しようとすればできたが、予見しなかった）か、unforeseeable（当時の科学技術では、誰も予見することができなかった）かが争点になるのです。「想定外」と言っても、unforeseenだったのか、unforeseeableだったのかという観点も重要ですから、頭に入れておいて下さい。

残余のリスク

先週、長年にわたり長大橋の設計に携わってきた友人と会う機会がありました。話をしていると、どうしても長大橋の耐震設計へ話題が移ります。「設計用地震動はどうやって決めるの？」と尋ねると、「想定される最大限の地震に対して設定する」との返答でした。さらに、「設定した地震動よりも大きな地震動がくるリスクは許容しているの？」と尋ねると、「そんな地震は来ない。設定している地震が最大だから」という返答でした。断っておきますが、これは食事をしながら気楽にしゃべっている会話であって、友人の会社の公式見解でも何でもありません。ただ、橋梁設計の専門家がこのように理解しているということも事実だと思います。

私には、「そんな地震は来ない」と言った友人の言葉が印象的でした。いくら巨大な、そして最大限の地震を想定しても、その地震よりも大きな地震は必ず発生します。津波でも同じです。「100mの津波高さを想定しておけば、それ以上の津波は来ない」などと言っていても、100mを超える津波は必ず発生します。地震が大きくなればなるほど、また、津波高さが高くなればなるほど、発生確率が小さくなりますが、その確率はゼロにはなりません。通常、我々が想定しているレベル2地震の年発生確率は0・1％程度です。サイコロを振って、4回続けて1の目が出る確率よりは大きい確率です。いまだに、しかも一流の設計者が、「そんな地震は来ない」などと言っているのが、日本の現状です。

福島原発を襲った津波が、想定していた津波高さよりも高かったと言って騒いでいますが、想定よりも高い津波が来ることは当たり前のことで『想定されている事象』です。地震でも同じで、設計で設定した震度や地震動の設計値を超える状況は想定しているのです。どのように設計値を設定しているかと言えば、安全性と経済性のバランスを考慮して（あまりにも金がかかりすぎる設計にならないような配慮をして）設定しているのです。したがって、設計値を超える事象が発生するリスクは、ある程度の確率の下で許容しているのです。このように「実務設計では、建物の倒壊、ダムの決壊、橋梁の崩壊、等々のリスクをある程度の確率で許容している」という事実が、設計者と言われる人々の中でも認識されておらず、ましてや一般市民が理解するのには程遠い状況です。

20年以上も前ですが、アメリカの美術館には、入り口に「この建物は震度5までの地震には安全です」といった内容の表示があるという話を聞きました。同じく20年以上前ですが、ベルギーのLNG基地のパンフレットを見ると、「この基地で大規模災害が発生する確率は1年当たり10^{-4}である」というような記述がありました。

日本では、「首都圏でM7の地震が発生する確率は30年で70％」、「南海トラフ地震に伴う津波高さは30ｍ」など、作用（荷重）側の情報が報道されるにとどまっています。これでは、『リスクをどの程度許容しているのか』ということはわかりません。これに対して、欧米のように、住居・公共建物・工場・橋などに「この建物は震度5以下の地震に対して安全性が確保されています」あるいは「この建物は震度6以上の地震に対して安全性は確保されていません」、津波なら「この建物は3ｍ以上の津波に対して安全性は確保されていません」というような耐力側の表示をしていけば、一般市民にも「我々はある程度のリスクを許容して生活しているんだ」という認識が定着していくだろうと思います。

巨大津波に係る地名と痕跡

仕事柄、南海トラフ地震に伴って発生するであろう巨大津波について考えることがしばしばあります。関東地方から九州地方の太平洋沿岸では、東北地方太平洋沖地震の際の津波に匹敵するかそれ以上の高さの津波が予想されています。瀬戸内海では、淡路島や佐田岬半島の効果があって、それほどの高さの津波にはなりませんが、大阪湾では1854年の安政大津波クラスの津波の再来が懸念されています。

大阪には、浪速、難波など津波を思い起こさせる地名があることが以前から気になっていました。『古事記』の記述によると、現在の大阪市はほとんど海で、大阪城から南の天王寺・阿倍野区辺りが半島として北に突き出ていたそうです。大阪城付近が、この半島の北端で、この半島と対岸の豊中市・吹田市の間は狭くて「浪が速く」、海峡のような地形になっていたので、浪速（↓難波）という地名が生まれたということです。

民俗学者の柳田國男は、その著書『地名の研究』（1936年）で次のように述べています。

『億を超えるかと思うこの我々の地名は、いかに微小なものでも一つ一つ、人間の意思に成らぬものはない。初めてこれを命名した者の判断と批評とがその群の大部分によって是認せられ、遵奉せられたという事実だけは立証している。そうしてその中には前に例示するごとく、五十年前のものもあれば千年来のものもあり、さらにその中間の各段階を代表しているものもあるのである。いわゆる人と天然との交渉をこれ以上綿密に、記録しているものは他にないわけである。これを利用もせずに郷土の過去を説こうとする人が、今でも多いということは私には何とも合点が行かない。』

津波被害を受ける場所は、海底も含めた地形との相関があります。そのような地域の地名には「浦・津・川」という漢字が含まれていることが多いようです。一方、「崎」という漢字がつく場所は、海に突き出た断崖のような地形のところなので、津波被害が少ない場所になっているそうです。地名からその場所が水害を受けた歴史があるのか、液状化被害を受けやすい場所なのかを判断できる場合が多々あります。このような地名の他に、神社や城は津波被害を受けないという話があります。神社や城が高台に造られることが多いので、結果として津波被害を受けないのか、あるいは過去に津波などの自然災害が遭った場所を避けて神社や城の場所を選定したのかはわかりませんが、津波が来たときの避難場所の目印にはなるのではないでしょうか。

「天災は忘れた頃にやってくる」という寺田寅彦の言葉通り、災害の記憶は薄れていきます。しかし、災害に遭った人々の中には、後世に記録をとどめようとした人も少なからずいたのです。太平洋沿岸には津波碑と言われるものが各所に残されていますが、これらは三陸海岸、徳島県南部、高知県の海岸線に集中して残されています。徳島県牟岐町にある津波碑には、大きな被害があった津波が1511年、1603年、1705年、1854年、1946年に襲ったことが記録されています。つまり、だいたい100年毎にこの地域を巨大津波が襲い、甚大な被害があったということがわかります。近い将来、確実に発生する南海トラフ地震とそれに伴う巨大津波に対する対策をとることが喫緊の課題となっていることを、これらの津波碑は教えてくれているのです。

再現期間と発生確率

先週末は45年ぶりの積雪で皆さんも色々と大変だったことと思います。私も、一昨日、昨日と家の周りの道路の雪かきをして、腰や腕が痛くなって大変でした。雪かきして腰が痛いくらいならいいのですが、旅行の予定だった人や受験生など大きな迷惑を被った方々も多かったのではないでしょうか。私は、44年前から東京近辺に住んでいるのですが、ちょうど越してくる前年の45年前の大雪は経験していません。だから、関東地方で経験した雪では最も多いものとなりました。天気予報では、「記録的な大雪になる」と警戒を呼び掛けていましたが、その予報は的中しました。近所のスーパーマーケットでは金曜日の夕方には品物がかなり少なくなっていたそうです。大雪のため土日に買い物に行けないことを予想して、準備した人が多かったのだろうと思います。

「45年ぶりの大雪」というような表現をされると、どうしても確率計算をしたくなる私は、「次に同じような大雪になるのはいつか？」と考えてしまいます。さて、今回クラスの大雪の再現期間が45年だとすると、何年以内だと発生確率が50％になると思いますか？　今まで設計技術講座に出席した人ならすぐに計算できますよね。自分なりに考えて計算してみて下さい。答えは31・2年です。今回クラスの大雪が発生する確率は「31・2年間で50％」ということになります。「45年ぶりの大雪」だと、次は32年以内には発生すると考えておけばよさそうだということがわかります。

昨年12月19日に内閣府が首都直下地震の被害想定を公表しました。首都直下地震というのは、東京・埼玉・神奈川・千葉など東京周辺のエリアを震源とする地震のことで、30年で70％の確率で発生すると発表されています。さて、また同様の質問ですが、「この首都直下地震の再現期間は何年ですか？」これもさっきの問題と同様に計算できますね。答えは24・9年です。首都直下地震の規模はマグニチュード7クラスですから、首都直下といわれるエリアではM7クラスの地震が25年に1回程度は発生したという過去の事実があるということでしょう。「ランダムに発生する事象が再現期間の間に発生する確率は63％である」ということは、設計技術講座で説明しましたね。つまり「再現期間30年の地震が30年間で発生する確率は63％」ということです。首都直下地震の発生確率は70％で、この63％よりも大きいので、再現期間は30年という参照期間よりも短いことはすぐにわかりますね。

今回の大雪の再現期間は45年、これに対して首都直下地震の再現期間は25年ということです。今回クラスの大雪よりも首都直下地震の方が高い確率で発生するということです。私達は、首都直下地震がいつでも起こることを想定して準備をしておかなければなりません。このことを週末の大雪がリマインドしてくれたように思います。内閣府が公表した「国としての最悪被害想定」では、死者2万3千人、経済被害が95兆円に上ると予想されています。今回の大雪でも多くの死傷者が出ましたが、その比ではありません。また、帰宅困難や、インフラの復旧遅れなどによる生活困難も予想されています。一人ひとりが、地震時ならびに地震後の状況を想像して、適切な備えをしておく必要があります。

インフラのメンテナンス

先週の金曜日に「笹子トンネル事故から何を学ぶか――インフラのメンテナンス問題を考える」というシンポジウムに参加しました。講演者が、東大の藤野先生、ＪＲ東日本コンサルタンツの石橋さん、日大の岩城先生という知り合いの方々でしたので、どんな話をされるのか興味もあり、聴きに行きました。皆さんの話の中で私が印象に残った点について紹介します。

ニューヨークの橋守と言われるヤネフ教授が藤野先生に橋梁のメンテナンスについて「日本はアメリカの失敗を繰り返してはいけない」と言ったということです。ニューヨークの橋の点検データによると、何もメンテナンスをしていない橋の寿命は30年程度だが、補修を行っている橋は70年以上経っても健全な状態を維持できているそうです。この辺りのことに興味がある人はヤネフ教授の『橋梁マネジメント』（藤野陽三ほか訳、技報堂出版）を読んで下さい。藤野先生は、「安全率は無駄とも言える。無駄と余裕とは紙一重である。専門家は、安全率が社会に必要な余裕であることを説明しなければならない。安全性を維持するためには無駄が必要である」とおっしゃいました。若い頃に信頼性設計法の研究者だった藤野先生らしい言葉でした。

石橋さんはコンクリート構造物の劣化について、「原因のない劣化はない。メンテナンスで重要なことは、劣化の原因を早く見つけて取り除くことだ」と強調されました。長年構造物の設計・施工・維持管理に携わってきたプロフェッショナルの自負が感じられる発言でした。また、「近年では構造物は設計基準に従って設計されるようになっているが、東海道新幹線の設計当時は、準拠する設計基準がなかったので、設計者の裁量で設計されていた。当時の設計には松本嘉司先生が携わっておられて、橋脚のじん性に配慮して帯鉄筋が十分入っていた。山陽新幹線では、当時の設計基準に従って設計した結果、せん断耐力が不足し、阪神淡路大震災の時にせん断破壊が発生した」という話がありました。私の恩師の松本先生がＪＲの中でも伝説の設計者として尊敬されていることがわかり、嬉しい気持ちになりました。

岩城先生は、地域と協働して橋梁のメンテナンスをする仕組み作りの重要性を歯科医療にたとえて説明されました。「虫歯予防には日常的な歯磨きが必要です。これは橋梁で言うと定期点検です。でも虫歯になってしまったら、歯磨きでは治りません。専門医に診てもらう必要があります。素人が判断することは危険です。その症状が重症の場合は、より高度な技術力を持った医者が設備を持った病院で治療する必要があります。戦前の日本には、地域共生の仕組みがありましたが、戦後解体されてしまったこの地域共生機能を、現代版の地域共生システムとして再構築し、その中で橋梁のメンテナンスをすることが重要だと考え、推進しているところです」

主催者の阪田先生は、「１９８１年に『荒廃するアメリカ』という本が出版されたが、まさに日本は荒廃するか否かの岐路に立っている。日本が荒廃の道を進まないためには、国を挙げてインフラのメンテナンス問題に取り組まなければならない」と締めくくられました。

低頻度だが影響が大きい作用

先々週に続いて、この度の大雪についてお話しします。14日からの大雪により、関東地方の各地で、体育館の屋根や商店街のアーケードなどが雪の重みに耐えられず、崩落が相次ぎました。当社が施工した建物にも被害が出ており、このような事象に対する客先対応が社内でも話題になっています。雪荷重は建築基準法に従って、およそ次のように算定されています。

- 50年に一度の積雪深で設計する
- 1平方メートル当たり1㎝の積雪深に対して約2kgの雪荷重とする
- 湿った雪が多い地域では、雪荷重を1・5倍等に割り増す

日本建築学会の建築物荷重指針では、地上積雪深を「地上積雪の観測資料に基づいて推定される年最大積雪深の再現期間100年に対する値」と定義しています。この地上積雪深は、豪雪地帯の高田（上越市）では3・64m、新庄2・54m、福井2・34mなどとなっていま

す。今回被害の多かった関東地方では、東京33㎝、横浜41㎝、千葉31㎝、熊谷34㎝といった値です。設計では50年に一度の積雪深を用いるのが通例ですから、設計積雪深を建築物荷重指針に掲載されているGumbel分布のパラメータを用いて計算すると、東京29㎝、横浜36㎝、千葉26㎝、熊谷30㎝となります。東京や千葉では今回の積雪深が約30㎝だったので、だいたい設計積雪深程度（50年に1回程度）の事象だったことがわかります。これに対して熊谷の積雪深は62㎝もあって、設計積雪深の2倍以上でした。同指針のGumbel分布の適用範囲は10～２００年ということですが、この適用範囲を無視して、「積雪深62㎝の降雪の再現期間」を計算してみると、なんと1万１０００年という途方もない結果となります。まあ、これは数字の遊びではありますが、過去の降雪記録に基づく統計データではとても想定できなかった事象が発生したことは間違いないようです。

今回の大雪を体験して、そもそも自然現象に対して「互いに独立でランダムに発生する」と仮定することに無理があるように思いました。どういう条件で雪が降るかわからなかった時代なら、単に統計データから確率論を使って「再現期間50年で設計する」などと言えるのでしょうが、地球規模で海水温や大気の流れなどが計測され、地球シミュレーターで気象変動を予測できる時代ですから、最早確率論の出番は減っているのだと思います。これに対して、首都直下地震など発生メカニズムがよくわかっていない事象に対しては、「30年間で70％の確率で発生する」などと確率論で語っても良いのかなと思います。不確定性の度合いが高いほど、確率論の出番が増えるということでしょうか。

「設計で想定していた以上の大雪だから建築物が壊れたのは仕方がない」と納得できる市民はまだまだ少ないと思います。「設計積雪深は○○cmであり、観測史上最大値以上の値を設定しました。私どもが構造安全性を保証できるのは設計積雪深までです」というような説明を地道に続けることが肝要だと思います。オーナーにとって重要な建築物なら想定外の大雪に対する保険をかけることも考えるでしょう。雪被害に関してある程度の統計データが揃えば、損保会社は保険商品を作れるはずです。今回の大雪による被害が、雪保険が生まれるきっかけになるかもしれません。低頻度だが影響が大きい作用（巨大地震、大津波、竜巻、大雪、落石など）の取り扱いについては、『土木構造物共通示方書II編（作用・荷重）』の改訂作業でもしばしば議論しているところです。

極度の自然現象

広島市で発生した土砂災害関連のニュースが連日報道されています。それを見て思い出すのは、昭和42年7月に発生した呉市の豪雨災害です。当時、私は呉市内の小学校の5年生でした。家は、灰ヶ峰の裾野の傾斜地にありました。記録によると、梅雨前線が停滞している所へ台風7号が接近し、広島県に大雨をもたらしたようです。前日から降っていた雨がだんだん強さを増してきて7月9日の16時から1時間の雨量は75㎜となりました。そのすぐ後だったと思いますが、家の裏にあった沢の方から地元の消防団の人の「水がくるぞ！」という大声が聞こえてきました。そして、直ぐに濁流が家の背面から正面へとものすごい勢いで流れていきました。恐らく、避難勧告が出たのだと思いますが、私たち家族はその日は近くの小学校へ避難して一夜を明かしました。雨が収まって家へ戻ってみると、家の庭は泥だらけで、床下にも沢山の土砂がたまっていました。家の畳をあげて、その土砂を運びだすのに、大人が数人がかりで苦労していたのを覚えています。その豪雨災害で、呉市内では88人、広島県内合わせると159人の方々が亡くなりました。我が家のすぐ傍の高台には水源地があり、大きなプールのような貯水池がありました。災害の後、近所の人達が、「あの水源地が流されていたら、ものすごい被害になっていた。斜面の桜の木々が土砂崩れを防いでくれた」と口々に言っているのを聞きました。

このような極度の自然現象に伴う災害は後をたちません。今年の2月に関東地方に降った大雪も統計上は非常にまれな事象でした。1889年に発生した十津川豪雨は奈良県十津川地区を壊滅させた大水害でしたが、当時十津川周辺には観測所がなかったので、記録が残っていません。周辺の観測所のデータから推測すると「日本の極値を超えるような豪雨が降ったのではないか」と言われています。1896年9月、彦根市を襲った豪雨は、一日約600㎜、五日間で合計1000㎜に達し、琵琶湖の周辺地域は水没しました。このときの豪雨の再現期間を計算すると数十万~10億年にもなり、統計上あり得ない豪雨となってしまいます。滋賀県の死者と行方不明者が34人と少なかったため、この豪雨はあまり知られていません。

１９８６年の６月にドイツのミュンヘンで雹に遭ったことがあります。外を歩いていた時に急に空が暗くなってきたかと思うと、バラバラと氷の塊が降り始めて非常に驚きました。近くのビルで30分程雹宿り？していたら収まりましたが、大きいもので直径４㎝程度の氷の球が路面に転がっていました。ミュンヘンでは、その前年にも大きな雹（最大10㎝程度だったそうですが）が降り、その被害に遭ったために、屋根やボンネットがボコボコになっている車を多数見かけました。日本では１９１１年青森県南津軽郡で直径約６㎝の雹が降り、約30㎝積もったとされています。１９１７年には、熊谷市付近で特大の雹が降り、あるものは直径約30㎝、またあるものは重さ約３㎏あったとのことです。最近では、２０１０年７月アメリカ・サウスダコタ州で、直径20㎝、重さ８７９ｇの雹が降りました。

このような極端な自然現象とともに、地球温暖化による気候変化も起こっています。気象庁が２０１３年３月に発表した『地球温暖化予測情報（第八巻）』によりますと、今世紀末には前世紀末と比較して、年平均気温は全国的に約３℃上昇します。東～西日本の真夏日（最高気温30℃以上）は約20日増加し、猛暑日（最高気温35℃以上）は約10日増加します。降水量２００㎜以上の日数は約30％増加し、一時間に50㎜以上の降水もほぼ倍増します。一方、雨が降らない日数は５～10日増加します。異常気象と温暖化の因果関係については、まだよく分かっていないことが多く、解明するための研究が盛んに行われているところです。

安全に絶対はない

先週は、外部講師講演会があり、航空業界の品質確保について、ＪＡＬの白井一弘さんの貴重な話を聴くことができました。安全を阻害する要因としては、「人」に起因するものが圧倒的に多いのですが、その要因となるhuman factorを軽減させようとする取り組みは、建設業よりもかなり進んでいるように思いました。また、最後に白井さんがおっしゃった、

- 何のための仕事か？　誰のための仕事か？　（を考えて仕事をすること）
- 本質を見抜く力を身に付けること
- 雑学・多趣味は固定観念を変える

という点は、私達にも共通して言えることで、「その通り！」と納得できました。

このような安全を確保するための取り組みの一方で、「安全に絶対はない」「事故はゼロにはできない」という現実があります。我々は、ある程度の事故を覚悟して、自動車を運転したり、電車に乗ったり、飛行機に乗ったりして生活しています。原子力発電所にしても同じことですが、原子力分野では、ＰＲＡ（Probabilistic Risk Assessment）を行い、事故の発生確率を定量的に評価しています。ただ、その中で、防ぐことのできないhuman errorについて、どのように

取り扱っているかは、よくわかりません。

そんな原子力発電の再稼働が問題になっています。設計用地震動や津波高さは、「想定される最大級の値」を設定しようとしているようですが、そのようにして設定した設計値を超える地震動や津波が発生する可能性があるということも併せて市民に説明し、納得してもらう必要があります。さらに言えば、その設計値を下回る地震動や津波によって構造物が破壊する可能性もあります。「安全性が確保されている」ということは「破壊する確率が〇〇％である」ということと表裏一体で、その意味する内容は同じだということを一般市民が認識できるようになるための活動を、土木技術者は続けていかなければなりません。「１００％の安全はない」という中で、人々が合理的な意思決定をできる世の中になることを目指して、継続して活動していきたいと思います。

原子力規制委員会の委員が「この断層が活断層である可能性を否定できない」という曖昧な表現しかできないのは、理学系の学者だから仕方がないのかもしれませんが、情けないことだと感じています。私の恩師の松本嘉司先生は、国鉄時代に東海道新幹線の高架橋などを設計された方ですが、昨年お会いした時に、しみじみと次のような話をされました。

『原子力発電が止まっているのは、日本国として非常にもったいないことだ。活断層の有無が稼働の判断に影響を与えているようだが、東海道新幹線のルート選定時にも似たような話があった。東海道新幹線で最も問題となっていたのは、新丹那トンネル付近にある丹那断層という活断層だった。それに対して、東大理学部の偉い先生が「新幹線が走るのは、せいぜい200年くらいだろう。200年程度では、この断層は動きません」と言ったので、東海道新幹線は現在のルートに決定した。最近は、そういうことを言える先生がいなくなったからねぇ』

1959年（昭和34年）4月20日に新丹那トンネルの前で十河総裁が鍬入れを行ったことで東海道新幹線は起工されました。

藤田　宗久（ふじた　むねひさ）

1957年生まれ。
1979年　東京大学工学部土木工学科卒業
1981年　東京大学工学系研究科修了
1981年　清水建設株式会社入社
1986〜1989年　ミュンヘン工科大学建設工学科客員研究員
1991〜1996年　中国石油（台湾）LNG地下タンク建設工事Engineering Manager
2000〜2004年　台湾新幹線C291工区Design Manager
2005〜2015年　土木事業本部設計部長
2015年〜　土木技術本部設計部上席エンジニア

専門：信頼性設計、海外設計マネジメント
資格：Dr.-Ing.（ミュンヘン工科大学）
土木学会特別上級技術者［設計］
技術士（建設部門）

挿絵：藤田美希子

Weekly Mail
上巻

2021年 4 月20日　初版第 1 刷発行

著　　者　藤 田 宗 久
発 行 者　中 田 典 昭
発 行 所　東京図書出版
発行発売　株式会社 リフレ出版
〒113-0021　東京都文京区本駒込 3-10-4
電話（03)3823-9171　FAX 0120-41-8080
印　　刷　株式会社 ブレイン

ISBN978-4-86641-388-4 C0095
Printed in Japan 2021